À la ligne

À la

Writing practice for GCSE French

Stephen Boyle and Maria Brown

Hodder & Stoughton

A MEMBER OF THE HODDER HEADLINE GROUP

Acknowledgements

The publishers would like to thank the following for permission to reproduce material in this book: *Le Figaro* for the weather map on page 68; la Marie de Caen for the map on page 92 taken from *Caen Normandy*.

The publishers would like to thank the following for permission to reproduce photographic material in this book: E. Rees for the photo on page 30; Corbis for the photo on page 61; Paul Popper Ltd for the photo on page 71; S.N.C.F. for the photo on page 97; L'Office de Tourisme in Boulogne-sur-Mer for the photo on page 119.

All illustrations by Gillian Martin.

British Library Cataloguing in Publication Data
A catalogue record for this title is available from The British Library

ISBN 0 340 68855 6

First published 1997
Impression number   10 9 8 7 6 5 4 3 2
Year   2001 2000 1999

Typeset by Wearset, Boldon, Tyne and Wear
Printed in Great Britain for Hodder & Stoughton Educational, a division of Hodder Headline Plc, 338 Euston Road, London NW1 3BH by Redwood Books, Trowbridge, Wiltshire

Contents

Foreword   v

Introduction   vi

Guidelines for letter-writing   ix

Guide des rubriques   x

Area A   Everyday activities

1   Chez moi   1
Les pièces
Les meubles
Aider à la maison et dans le jardin

2   L'école   12
Les matières et l'emploi du temps
L'uniforme
Les règles
L'école en général

3   Manger et boire   23

4   La santé   29
Les maladies en général
Le régime
Le tabagisme

Area B   Personal and social life

5   Ma famille, mes amis et moi   38

6   Les passe-temps et le temps libre   46
Les passe-temps
L'argent de poche
Les achats
Les rendez-vous

Area C   The world around us

7   Autour de moi   58
Ma région
La ville et la campagne
Les coutumes

8   L'environnement   67
Le temps et les saisons
Les catastrophes
Les caractéristiques du paysage
Le crime et la loi

9   Les courses et les services   77
Les courses
Les objets perdus

10 Les directions   85

11 Le transport et les voyages   93
Les transports publics
Les accidents

Area D   The world of work

12 Les projets pour l'avenir   103

13 Mon petit boulot et mon stage en entreprise   110

Area E   The international world

14 Les vacances   116
Le syndicat d'initiative
L'hôtel
Le camping
Le gîte
Les vacances en général

15 Les questions du jour   137

Lexique   141

Foreword

I am delighted to present *À la ligne* – supplementary practice material for the writing component at Key Stage 4 of the National Curriculum.

The thematic approach using detailed and interesting stimuli correlates clearly with the Areas of Experience. The logical inclusion and development of all the required grammatical structures together with the variety of materials used will facilitate progress and encourage good practice in vocabulary and sentence-building skills in both whole class and individual situations across the ability range.

The use of the target language, the ongoing inclusion of vocabulary and structures exemplified in each unit and the invaluable reference glossary will encourage independent work towards creative writing.

The whole provides effective training and stimuli for the requirements of the new GCSE examinations for 1998 and beyond.

Margaret Bonsell

Introduction

À la ligne aims primarily to consolidate students' writing skills, skills which are now particularly important as writing is a compulsory component of the revised GCSE examinations. With this in mind, we have set out to provide a wide spectrum of writing tasks, some of which are accessed through reading, to help students develop their reading skills alongside their writing skills and to enlarge both their active and passive vocabularies. As practising teachers, we are acutely aware of the need to provide students with challenging yet stimulating tasks at all times and we hope that the tasks in this book have addressed this need.

To ensure that the book is of maximum benefit, we have taken account of the syllabuses of various examination boards. In line with the National Curriculum and the revised GCSE examinations, the target language has been used throughout and, with all rubrics and stimulus material in French, we anticipate that teachers will encourage full answers in French from their students. A glossary of the rubrics is provided in the *Rubriques* section near the beginning and a supportive bilingual vocabulary list can be found in the *Lexique* section at the back of the book.

The National Curriculum guidelines emphasise that students should have access to a dictionary throughout Key Stages 3 and 4. We hope, therefore, that teachers will be able to provide their students with dictionaries, not merely for the specific dictionary skill exercises, but also for use as a general support resource.

For most topics we have highlighted the most important grammar points in the *Grammaire* tables. We suggest that teachers focus their students' attention on these prior to asking them to attempt the tasks. However, as it is not the aim of the book to teach grammar, only the grammar points pertinent to particular tasks have been mentioned. The *Expressions utiles* section highlights useful phrases relevant to a particular topic which will probably be unfamiliar to most students. Students should be encouraged to find out what the phrases mean and, if possible, to include them in their own writing.

Each topic has been divided into two sections, *Niveau de base* and *Niveau supérieur*, which, through tasks that become increasingly demanding within each section, jointly cover the needs of A*- to G-grade candidates. This division should be seen as a guide to the level of the activities but should not mean that students are restricted to doing tasks in only one section. There are bridging activities suitable for C- and D-grade candidates in both sections.

Finally, the book is divided into fifteen chapters following the order of the five National Curriculum Areas of Experience. However, as each chapter stands as an independent unit, teachers are at liberty to select their own path through the book.

S. J. Boyle and M. Brown, July 1997

Guidelines for letter writing

Here are some useful hints for writing letters in French.

- Letters should begin with the town and date in the top right-hand corner as follows:

Canterbury, le 21 octobre

- If you are writing to a male friend, begin:
    Cher Philippe, . . .
    Cher Jean-Louis, . . .
  For a female friend put:
    Chère Danielle, . . .
    Chère Marie-France, . . .
  If you are writing a formal letter to a person you do not know, at a newspaper or a hotel, for example, you should begin with one of the following:
    Monsieur, . . .
    Madame, . . .
    Monsieur/Madame, . . .

- An informal letter could begin in one of the following ways:
    Je te remercie de ta lettre . . .
    Merci pour ta lettre . . .
    J'ai bien reçu ta lettre . . .
  and you could also add:
    . . . qui est arrivée hier
    . . . que je viens de recevoir

. . . qui m'a fait grand plaisir

More formal letters require the use of the "vous" form, as in the following expressions:
    Je vous écris pour . . .
    Je vous écris dans *l'espoir que vous pourrez . . .*

- When ending a letter to a friend, the following expressions are useful:
    Ecris-moi vite!
    J'attends ta réponse avec impatience.
  followed by:
    A bientôt, . . .
    Grosses bises, . . .
    Amitiés, . . .
  For more formal letters, a different ending is required:
    Je vous remercie d'avance.
    J'attends votre réponse avec impatience.
  followed by:
    Je vous prie d'agréer, Monsieur/ Madame, l'expression de mes sentiments les plus distingués.

To help you write the rest of your letter, try to use as many ideas as you can from the examples of letters throughout the book.

Guide des rubriques

Ce livre contient beaucoup d'instructions en français. Utilisez cette section pour vous aider à les comprendre.

ajoutez . . .	*add . . .*
attention!	*watch out!*
avec l'aide de . . .	*with the help of . . .*
à l'envers	*backwards*
basé(e) sur la lettre ci-dessus	*based on the letter above*
(le) bon mot	*(the) right word*
c'est à vous	*it is up to you*
celui/celle qui	*the one which*
chaque fois que . . .	*each time that . . .*
cherchez . . .	*look for . . .*
choisissez . . .	*choose . . .*
ci-contre	*opposite*
ci-dessous	*below*
ci-dessus	*above*
commencez chaque phrase avec . . .	*start each sentence with . . .*
coupé(es) en deux	*cut in half*
dans chaque phrase	*in each sentence*
dans l'ordre alphabétique	*in alphabetical order*
dans la grille	*in the grid*
dans lequel/laquelle	*in which*
de votre choix	*of your choice*
décidez si . . .	*decide whether . . .*
décrivez . . .	*describe . . .*
des fois	*sometimes*
dessinez . . .	*draw . . .*
développez . . .	*develop . . .*

dites si . . .	*say whether . . .*
. . . dont vous aurez besoin	*. . . which you will need*
dressez une liste de . . .	*make a list of . . .*
écrivez . . .	*write . . .*
en vous servant de . . .	*by using . . .*
encore des phrases	*more sentences*
enrichissez votre vocabulaire	*expand your vocabulary*
essayez de . . .	*try to . . .*
faites les exercices	*do the exercises*
il faut incorporer . . .	*you must incorporate . . .*
il faut indiquer . . .	*you must indicate . . .*
là-dessous	*below it*
laissez . . .	*leave . . .*
(une) lettre de réponse	*(a) letter in reply*
lisez . . .	*read . . .*
mélangé(es)	*jumbled*
(le) même sens	*(the) same meaning*
mettez (les deux parties ensemble)	*put (the two pieces together)*
n'importe quel(s)/quelle(s) . . .	*any . . .*
n'oubliez pas de . . .	*don't forget to . . .*
pas forcément	*not necessarily*
(des) phrases complètes	*full sentences*
posez . . .	*put . . .*
pour chacun(e)	*for each one*
pour compléter . . .	*to complete . . .*
pour vous aider	*to help you*
pouvez-vous les relier?	*can you join them up?*
pouvez-vous remettre . . . ?	*can you put back . . . ?*
. . . qu'on peut employer	*. . . which can be used*
quel est le premier mot?	*what is the first word?*
quel participe passé?	*which past participle?*
. . . quelque chose qui manque	*. . . something missing*
. . . qui convient le mieux	*. . . which fits best*
. . . qui manquent	*. . . which are missing*
. . . qui se rapporte(nt) à	*. . . which is (are) to do with*
. . . qui sont défini(e)s	*. . . which are defined*
. . . qui sont écrit(e)s	*. . . which are written*
. . . qui sont lié(e)s	*. . . which are linked*
. . . qui sont utiles	*. . . which are useful*
. . . qui suit	*. . . which follows*
. . . qui traitent	*. . . which deal with*
racontez. . .	*recount . . .*
rédigez . . .	*write . . .*

reliez les locutions	*join up the phrases*
reliez les deux morceaux . . .	*join up the two pieces . . .*
relisez . . .	*re-read . . .*
remettez les lettres dans l'ordre	*put the letters in order*
remplacez les mots soulignés	*replace the underlined words*
remplissez la fiche	*fill in the form*
remplissez les blancs	*fill in the gaps*
répondez aux questions suivantes	*answer the following questions*
répondez pour vous-même	*answer for yourself*
résumez . . .	*sum up . . .*
. . . sans changer la forme	*. . . without changing the form*
soit . . . soit . . .	*either . . . or . . .*
(des) substantifs	*nouns*
tiré(es) de . . .	*taken from . . .*
tous les mots	*all the words*
tout en changeant	*by changing*
trop de blancs	*too many gaps*
trouvez . . .	*find . . .*
utilisez les phrases qui suivent	*use the following sentences*
vous pourriez utiliser . . .	*you could use . . .*

Chez moi

Les pièces

🌓 Grammaire

Dans ma maison, il y a	un	grand petit joli vieux	salon grenier bureau	bleu gris blanc confortable
	une	grande petite jolie vieille	chambre cuisine salle à manger	bleue grise blanche confortable

🌓 Niveau de base

1 Remplissez les blancs. Ce sont des pièces de la maison.

a c _ _ _ _ _ _
b s _ _ _ _ à m _ _ _ _ _
c s _ _ _ _
d s _ _ _ _ de s _ _ _ _ _
e c _ _ _ _ _ _
f s _ _ _ _ de b _ _ _ _
g g _ _ _ _ _ _
h b _ _ _ _ _

J'ai une petite chambre blanche

Chez moi

2 Reliez la pièce dans l'Exercice 1 avec l'activité ci-dessous qui convient:

Exemple: Je regarde la télévision dans le salon.

- *a* Nous prenons le dîner.
- *b* J'écoute des disques.
- *c* Je fais la vaisselle.
- *d* Je dors.
- *e* Je me brosse les dents.
- *f* Je discute avec ma famille.
- *g* Mon père travaille avec son ordinateur.
- *h* Mon petit frère joue avec son train.

Le salon

● Niveau supérieur

3 Choisissez cinq pièces. Pour chaque pièce écrivez une phrase qui décrit la taille et la couleur.

Exemple: Chez moi il y a une petite cuisine grise et bleue.

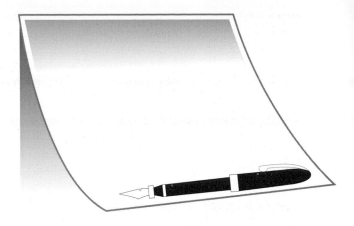

Les meubles

● Grammaire

Chez moi il y a	un	vieux nouveau beau	frigo tapis canapé	blanc rouge lourd
		vieil nouvel bel	ordinateur	
	une	vieille nouvelle belle	télévision chaise table	blanche rouge lourde

Dans ma chambre	mon	ordinateur placard bureau fauteuil	est	à gauche à droite
	ma	télévision chaise table de chevet chaîne hi-fi		

| Chez nous il y a | **beaucoup de** | CD
posters |
| | **beaucoup d'** | espace
animaux |

| Le bureau
La chambre | **de** | mon père
mes parents | se trouve | au rez-de-chaussée
au premier étage |

 Expressions utiles

il y a des choses pour nettoyer la maison

ma chambre donne sur le jardin

la cuisine est pleine de placards

Niveau de base

4 Remettez les lettres dans l'ordre pour trouver les meubles. Tous les mots sont dans l'ordre alphabétique:

a	maerroi	*i*	cmoir-enod
b	iedtb	*j*	rriiom
c	seuèiicinr	*k*	drapcal
d	rageéèt	*l*	eriélv
e	uatuleif	*m*	xiuread
f	rgofi	*n*	psiat
g	oalbav	*o*	olviiténsé
h	stgeopcmeona		

5 Trouvez trois objets dans votre maison
qui sont:

a en bois	*e* utiles pour vos
b en plastique	devoirs
c en métal	*f* bruns ou brunes
d lourds	*g* blancs ou blanches

6 Lisez la lettre de Jean-Michel. Il y a
douze blancs. Ci-dessous il y a les douze
mots qui manquent. Choisissez le bon
mot pour chaque blanc.

Garches, le 24 novembre

Cher John,

Merci pour _____ lettre, que j'ai reçue avant-hier. Tu as beaucoup d'animaux!

Eh bien, je vais _____ décrire ma maison. Elle est assez vieille et elle est située à un kilomètre du centre-ville. Nous avons huit pièces: un salon, une salle à manger, trois chambres – celle de _____ parents, celle de _____ petite sœur et la _____ – la cuisine, la salle de bains et le grenier, qui est le bureau de _____ père. Quelles pièces as-tu chez toi? Décris _____ chambre.

Moi, dans le salon, je regarde la télé avec _____ famille et on joue aux cartes et on fait des jeux. Que fais-tu dans _____ salon? Comment est-il? _____ mère collectionne les vieux meubles, alors nous en avons beaucoup et dans le salon et dans la salle à manger.

Nous avons un assez grand jardin derrière la maison avec beaucoup de fleurs et un pommier énorme. En ce moment on ne mange que des tartes aux pommes! Parle-moi un peu de _____ jardin. Est-ce que tu aimes ta maison?

Bon, je dois te laisser maintenant. Ecris-_____ bientôt.

Ton ami,

Jean-Michel

---

ma	ma	mienne	mon	ta	ton
ma	mes	moi	ta	te	ton

7 Maintenant répondez à la lettre de Jean-Michel. Ecrivez environ 80–100 mots. Essayez d'utiliser les mots dans la section **Expressions utiles** dans votre réponse.

On ne mange que des tartes aux pommes!

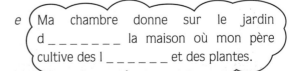

🌓 Niveau supérieur

8 Voici des phrases qui décrivent votre maison. Remplissez les blancs. Utilisez votre dictionnaire si nécessaire.

a Dans ma chambre j'ai b _ _ _ _ _ _ _ de posters de mon chanteur préféré au m _ _ .

b Au rez-de-c _ _ _ _ _ _ _ il y a la cuisine, le salon et la salle à manger.

c La chambre de mes parents a un t _ _ _ _ _ multicolore que je déteste!

d Nous avons une nouvelle cuisine pleine de p _ _ _ _ _ _ _ où il y a des a _ _ _ _ _ _ _ _ , des soucoupes, de la n _ _ _ _ _ _ _ _ _ et des choses pour nettoyer la maison.

e Ma chambre donne sur le jardin d _ _ _ _ _ _ _ la maison où mon père cultive des l _ _ _ _ _ _ et des plantes.

9 Faites une description (environ 150 mots) de votre maison idéale. Mentionnez les détails suivants:

- les pièces
- les meubles
- le jardin.

Aider à la maison et dans le jardin

🌑 Grammaire

Il faut	**faire** la vaisselle **ranger** la chambre **sortir** la poubelle	une fois par semaine

Le week-end dernier Hier Samedi Il y a quelques jours	j'ai	**nettoyé** ma chambre **lavé** la voiture **aidé** mon père dans le jardin
		dormi dans une tente dans le jardin **fini** mes devoirs à minuit
		bu trop de vin **lu** un roman policier
	je suis	**allé(e)** dans le jardin **monté(e)** dans ma chambre après minuit **rentré(e)** à la maison très tard

Expressions utiles

samedi, c'était pénible

ma mère s'est rétablie

quelqu'un doit tondre le gazon

Niveau de base

10 Lisez les phrases, puis remplissez les blancs avec le verbe de la liste ci-dessous qui convient.

Exemple:

a (Je _____ à manger au chien le matin et le soir.

Je donne à manger au chien le matin et le soir.

b (Je _____ l'aspirateur dans ma chambre le samedi matin.

c (Ma mère _____ les vêtements pendant qu'elle regarde la télé.

d (Ma sœur _____ la table après chaque repas.

e (Le samedi après-midi ma sœur et moi _____ les courses en ville.

f (Mon frère aîné _____ la vaisselle après le déjeuner dimanche, mais il déteste ça!

g (Mes parents _____ du jardinage quand il fait beau en été.

h (Je _____ la voiture de mon père pour gagner un peu d'argent.

i (Mon père _____ la table avant tous les repas.

j (Nous _____ tous notre chambre le week-end.

débarrasse	faisons	font	met	rangeons
donne	fait	lave	passe	repasse

11 Votre famille fait un échange de maison avec une famille française. Laissez un message pour la famille. Indiquez cinq choses que la famille doit faire pendant son séjour chez vous. Commencez chaque phrase avec "Il faut".

Il faut donner à manger au chien

12 Pendant votre séjour chez votre correspondant(e) vous avez fait beaucoup de travail à la maison. Dans votre journal vous décrivez ce que vous avez fait pour aider chaque jour. Vous y restez une semaine.

Regardez les tableaux à la page 7 pour vous aider.

Dimanche j'ai donné à manger au chien

Niveau supérieur

13 Lisez la lettre de Jenny ci-dessous. Utilisez les mots et les expressions de la liste pour remplir les blancs.

Ipswich, le 9 février

Chère Danielle,

Je te remercie pour ta gentille lettre. Excuse-moi d'avoir mis si longtemps à te répondre, _____ je vais t'expliquer les difficultés que j'ai eues.

_____ , depuis deux semaines mon père est en voyage pour sa compagnie, _____ quelqu'un doit tondre le gazon et laver la voiture. Mon grand frère doit préparer ses examens, alors il n'a pas le temps. Devine qui doit le faire? _____ , deux jours après le départ de mon père, ma mère est tombée malade avec une grippe _____ a nécessité la visite du médecin. Il lui a dit de passer au moins une semaine au lit.

_____ c'était samedi et c'était pénible. J'ai préparé tous les repas pour ma mère, mon frère et moi-même, j'ai fait la vaisselle, j'ai passé l'aspirateur et j'ai fait les courses au marché et au supermarché. _____ , j'ai dû repasser tous les vêtements, ce qui a duré _____ deux heures. _____ à minuit que j'ai réussi à me coucher!

Au cours de la semaine suivante j'ai dû aller à l'école, faire mes devoirs (et j'en ai beaucoup, _____ en français) et préparer tous les repas. _____ , ma copine Sally m'a aidée avec la vaisselle tous les soirs.

Maintenant, mon père est de retour, ma mère s'est rétablie et notre vie de famille est redevenue normale. _____ , j'attends les vacances de mi-trimestre avec grande impatience! Je t'écrirai une lettre plus longue la prochaine fois.

Grosses bises,

Jenny

---

alors	cependant	ensuite	mais
au moins	d'abord	heureusement	qui
ce n'était qu'	en plus	le premier jour	surtout

14 Relisez la lettre de Jenny et dressez une liste de toutes les choses que Jenny a faites pour aider à la maison.
Exemple: Elle a tondu le gazon.

15 Maintenant écrivez une lettre d'environ 150 mots dans laquelle vous décrivez comment vous avez essayé d'aider votre famille à la maison et les conséquences désastreuses. Voici des expressions pour vous aider:

ma mère a été en colère   en vain   ma mère a été furieuse

j'ai cassé ...   mon père a été exaspéré   j'ai laissé tomber ...

malheureusement ...

je n'ai pas réussi à ...   quelle horreur!

Essayez d'utiliser aussi les **Expressions utiles** à la page 8 dans votre réponse.

L'école

Les matières et l'emploi du temps

Grammaire

Je trouve	**le**	français dessin	fantastique(s) intéressant(e)(s) ennuyeux(-euse)(s) facile(s) difficile(s)
	la	musique biologie	
	l'	allemand éducation physique	
	les	maths sciences	

J'ai	**le** commerce **l'**histoire **la** géographie	**le**	lundi mardi jeudi

Niveau de base

1 Dressez une liste de dix matières qu'on étudie au collège ou au lycée.

2 Remplissez les blancs avec la matière correcte.

a (Dans le laboratoire on étudie les _____.)

b (J'ai besoin de ma machine à calculer pour faire les _____.)

c (Si on est Français le _____ est facile.)

d (Je joue du piano – j'adore la _____.)

e (C'est où, l'Italie? Je suis nul(le) en _____.)

f ("Guten Tag", dit mon prof d'_____.)

g (Mon livre d'_____ s'appelle *Henri VIII*.)

h (Le travail sur bois, cela fait partie des _____ _____.)

i (Il faut être en bonne forme pour faire l'_____ _____.)

j (J'ai travaillé avec l'ordinateur en _____ aujourd'hui.)

3 Ecrivez votre emploi du temps en français. N'oubliez pas de mettre:

- les jours de la semaine
- les heures de vos cours
- les matières que vous étudiez.

4 Voici un extrait de l'emploi du temps de François(e). Copiez-le et remplissez les blancs en vous servant du texte à la page suivante

Le laboratoire

	9.20–10.20	10.40–11.40	13.00–14.00	14.00–15.00
lundi		maths		anglais
mardi			maths	
mercredi				
jeudi		anglais	maths	anglais
vendredi				

J'ai français le jeudi à neuf heures vingt, et le mardi et le vendredi après la récréation. La musique, c'est le dernier cours de la semaine. Avant cela j'ai les travaux manuels. L'histoire, c'est le premier cours du mercredi et la géo, c'est le premier cours du lundi. Les sciences, c'est toujours avant le français le vendredi et le mardi et après l'histoire le mercredi. Le troisième cours du lundi, c'est le dessin et le dernier cours du mercredi, c'est l'éducation physique. Le mercredi à treize heures et le mardi à quatorze heures j'ai allemand.

L'uniforme

◗ Niveau de base

5 Dressez une liste de cinq vêtements qu'on porte comme uniforme. A côté de chaque vêtement mettez une couleur différente.
Exemple: une robe bleue

◖ Niveau supérieur

6 Reliez les locutions 1–5 avec les locutions a–e pour en faire cinq phrases correctes.

1 L'uniforme scolaire, c'est une bonne idée . . .
2 Il n'est pas juste que les garçons ne peuvent pas . . .
3 Une fois par trimestre je ne porte pas l'uniforme, mais . . .
4 Si j'arrive à l'école sans cravate . . .
5 Le fait que je dois porter un uniforme . . .

a . . . il faut payer une livre sterling à une œuvre charitable.
b . . . veut dire que je perds mon individualité.
c . . . parce que je ne suis pas obligé de décider le matin ce que je vais mettre.
d . . . mon professeur principal me renvoie chez moi.
e . . . porter les boucles d'oreille.

7 Donnez trois arguments pour et trois arguments contre l'uniforme.

Les règles

◖ Grammaire

Il faut On doit Il est nécessaire de/d'	**faire** les devoirs **respecter** les profs **arriver** à l'heure
Il ne faut pas On ne doit pas Il n'est pas permis de/d' Il est interdit de/d' Il est défendu de/d'	**être** en retard **fumer** au collège/au lycée **manger** du chewing-gum en classe **s'absenter** sans permission **courir** dans les couloirs

◖ Niveau supérieur

8 Ci-dessous il y a une liste de dix règles pour un collège ou un lycée. Reliez les locutions 1–10 avec les locutions a–j pour en faire dix phrases correctes.

1	Il est interdit de fumer . . .	*a*	. . . les cahiers, les livres et les stylos pour tous les cours.
2	Il ne faut pas aller en ville . . .	*b*	. . . à l'école.
3	On doit porter . . .	*c*	. . . dans les couloirs.
4	Il est défendu de faire . . .	*d*	. . . de son mieux.
5	Il faut apporter . . .	*e*	. . . à l'heure.
6	On ne doit pas courir . . .	*f*	. . . pendant la récréation.
7	Il n'est pas permis de manger . . .	*g*	. . . toutes les personnes et toutes les règles de l'établissement.
8	Chaque élève doit toujours faire . . .	*h*	. . . grève.
9	Il faut toujours être . . .	*i*	. . . l'uniforme correct.
10	Il faut absolument respecter . . .	*j*	. . . du chewing-gum en classe.

L'école en général

◖ Grammaire

Mon	frère copain	est	très un peu assez	**sportif doué**
Ma	sœur copine	est	très un peu assez	**sportive douée**

Le français Le dessin L'anglais	est	plus moins aussi	**intéressant facile difficile**	que	l'allemand la physique les maths
La géographie La technologie L'éducation physique	est	plus moins aussi	**intéressante facile difficile**		

| Monsieur Jones | est | **le** prof | **le** plus
le moins | **intéressant**
sévère |
| Madame Smith | est | **la** prof | **la** plus
la moins | **intéressante**
sévère |

| Le dessin
La biologie | est | **la** matière | **la** plus
la moins | **difficile**
intéressante |

 Expressions utiles

j'ai permanence deux fois par semaine

Niveau de base

9 Répondez aux questions avec des phrases complètes.

a Comment s'appelle votre école?

b Où se trouve-t-elle?

c Comment est-elle?

d Combien y a-t-il de profs et d'élèves?

e Quelles matières étudiez-vous?

f Quelle est votre matière préférée et pourquoi?

g Quel professeur aimez-vous et pourquoi?

h A quelle heure est-ce que l'école commence et à quelle heure est-ce qu'elle finit?

i Combien de temps avez-vous pour la pause-déjeuner?

j Combien de cours y a-t-il par jour?

k Combien de temps dure chaque cours?

l Vous faites combien de devoirs le soir?

m Depuis combien de temps apprenez-vous le français?

n Quels sports pratiquez-vous?

o Qu'est-ce qu'il y a comme clubs ou activités dans votre collège?

10 Ecrivez des phrases qui décrivent le système scolaire en Grande-Bretagne. Pour vous aider il y a des phrases ci-dessous qui décrivent le système français.

Exemple: L'école commence à huit heures.
→ L'école commence à neuf heures moins le quart.

a   Les cours durent une heure.
b   On a deux heures pour le déjeuner.
c   L'école finit vers cinq heures.
d   Il ne faut pas porter d'uniforme.
e   Il n'y a pas de cours le mercredi après-midi.

f   On a souvent cours le samedi matin.
g   On a permanence.
h   Beaucoup d'élèves mangent à la maison.
i   On apprend l'anglais comme langue étrangère.

11 Dans la lettre qui suit il y a dix blancs. Dans la liste ci-contre il y a les dix mots qui manquent. Choisissez le bon mot pour chaque blanc.

> Church Stretton, le 11 octobre
>
>   Salut Alex!
>
>   Merci bien pour ta dernière lettre, qui est arrivée hier matin. Comment vas-tu? Comme tu me l'as demandé, je vais te parler de mon école.
>
>   Elle s'appelle "Churchill High" et elle se trouve au centre de la ville. C'est une _____ école moderne. Il y a une vingtaine de profs et trois cents élèves. Mon prof préféré, c'est Monsieur Hughes, qui enseigne l'allemand. Il est très _____ . Je _____ Madame Jones, le prof d'histoire, parce qu'elle est très sévère.
>
>   J'étudie le français, l'anglais, les maths, les sciences, l'allemand et le sport. Comme sport, je _____ au football et je fais de l'_____ . J'aime le français, mais je préfère l'allemand. L'_____ est plus facile. Je n'aime pas les maths, car c'est trop difficile et _____ . Je suis fort en anglais, mais je suis faible en sciences.
>
>   A l'école je porte un uniforme – une chemise jaune, un pantalon brun et un pullover brun et une cravate brune et jaune. J'adore l'_____ . Après l'école je rentre chez moi vers quatre heures et quart et je fais mes devoirs tout de suite. Après le dîner je _____ la télé ou je _____ chez mes amis. Je me couche à dix heures.
>
>   Ecris-moi bientôt et parle-moi de ton école!
>   Amitiés,
>
>   *James*

allemand	déteste	équitation	petite	uniforme
amusant	ennuyeux	joue	regarde	vais

Niveau supérieur

12 Enrichissez votre vocabulaire. Utilisez votre dictionnaire si nécessaire.

verbe	substantif	adjectif
étudier	**?**	–
–	le français	**?**
?	une règle	–
–	un uniforme	**?**
calculer	**?**	–
?	un travail	–
finir	**?**	–
?	les devoirs	–
–	un sport	**?**
?	le déjeuner	–

13 En vous servant des vingt mots ci-dessous, écrivez une lettre d'environ 150 mots à votre correspondant(e). Vous parlez de vos expériences à votre école. Il faut utiliser tous les mots sans changer la forme!

école	plus ... que	se trouve	aussi ... que
	préfères	ennuyeuse	laboratoire
moins ... que		le plus ...	déteste
aiment	sympathique	fort	
		faible	quatrième
uniforme	sportive	langues	la moins ...	étudie

14 Lisez la lettre de David. Il parle de son nouveau collège et le compare avec son ancien collège. Choisissez dans la liste ci-contre le mot ou l'expression qui manque pour chaque blanc.

Reading, le 18 novembre

Cher Jean-Yves,

Je te remercie de ta lettre et du cadeau d'anniversaire, qui m'a fait grand plaisir. _____ tu m'as demandé de parler de mon nouveau collège, voici mes premières impressions.

Notre déménagement de Bridlington au début du mois n'a pas été trop pénible, mais _____ j'ai eu des difficultés d'adaptation dans le nouveau collège.

_____ , le collège est beaucoup plus grand que celui de Bridlington, car il y a presque mille quatre cents élèves. _____ je me suis senti très perdu au départ et j'ai trouvé difficile de me faire des amis. Mon professeur principal est très distant et trop sévère et les autres élèves de ma classe ne l'aiment pas du tout, _____ l'ambiance dans notre classe pendant l'appel est très mauvaise.

_____ , comme l'emploi du temps est différent ici, je n'ai pas pu continuer mes études en allemand et en informatique. _____ je dois faire de la technologie et l'éducation physique, ce qui ne m'a pas plu, _____ parce que je suis extrêmement faible en technologie et je ne suis pas sportif du tout! Mais _____ les profs sont sympas et comprennent mes difficultés.

Mais ce qui me plaît beaucoup, c'est qu'il y a davantage de clubs pendant la pause-déjeuner et après l'école, par rapport au collège à Bridlington. Le mardi je peux jouer aux échecs et en ce moment je suis le meilleur joueur de la classe de troisième. _____ , le jeudi il y a le club de théâtre. Comme tu sais, je me passionne pour le théâtre et à Pâques nous allons monter la pièce "Pygmalion", dans laquelle j'ai un rôle assez important.

L'autre avantage ici à Reading, c'est que le niveau est plus élevé, alors je fais beaucoup de progrès dans la plupart des matières. Les cours sont vachement intéressants et les profs demandent beaucoup de devoirs - je travaille au moins deux heures par soir - mais je ne peux pas me plaindre, car j'ai de bonnes notes.

Alors, je crois que cela suffit pour le moment. Raconte-moi les détails de ton week-end à Paris dans ta prochaine lettre.

Passe le bonjour à tes parents!

Amitiés

David

au lieu de cela	comme	donc	malheureusement	surtout
au moins	d'ailleurs	en plus	par conséquent	tout d'abord

Je travaille au moins deux heures par soir

15 Résumez les avantages et les désavantages du nouveau collège de David.

16 Trouvez les mots ou les expressions dans la lettre de David qui ont le sens suivant.

**Exemple: un changement de maison =
un déménagement**

a difficile

b l'atmosphère

c le moment où le prof principal vérifie qui est absent

d ce que je n'ai pas aimé

e gentils

f plus de

g comparé avec le

h j'adore

i demandent

17 On cherche des idées pour améliorer votre école. Ecrivez un article d'environ 150 mots dans lequel vous décrivez votre école idéale. Mentionnez les détails suivants:

- la situation de l'école et le nombre d'élèves
- les matières qu'on doit étudier
- les heures de travail
- les règles
- les rapports entre les profs et les élèves.

Manger et boire

🔘 Grammaire

Un kilo Une livre Une demi-livre	**de**	pommes tomates poireaux
	d'	artichauts oranges oignons
Un paquet Une boîte	**de**	biscuits riz
	d'	amandes
Une bouteille Un litre Un verre	**de**	coca jus d'orange
	d'	eau minérale

J'**avais** Mon père **avait** Nous **avions** Mes parents **avaient**	**précisé** bien cuit **réservé** une table **commandé** une bouteille de vin rouge **demandé** l'addition

Après avoir	**attendu** une heure **terminé** le répas **fini** les hors-d'œuvre

J'**ai pu** Ma mère **a pu** Nous **avons pu**	**boire** du vin français **payer** avec une carte de crédit **trouver** une table au coin

◖ Niveau de base

1 Remettez les lettres dans l'ordre pour trouver les fruits et les légumes.

    a   erifsa

    b   gonnoi

    c   omesrabfi

    d   aetoctr

    e   ehpêc

    f   epearsg

    g   eoirp

    h   rciese

    i   oapepsemmlsu

    j   aouiper

Les glaces sont délicieuses!

On achète des légumes au marché

2 Dressez une liste de dix boissons – alcoolisées ou sans alcool. Dites, pour chaque boisson, si vous l'aimez ou non.
Exemple: J'aime la limonade.
          Je déteste le vin rouge.

3 Vous êtes végétarien(ne). Dressez une liste de cinq plats – les hors-d'œuvre ou les plats principaux – que vous ne pouvez pas manger!
Exemple: Je ne peux pas manger de bœuf.

4 Vous organisez une boum chez vous pour une vingtaine de copains et de copines. Votre père aime bien travailler dans la cuisine et faire les courses. Donnez-lui une liste de douze choses qu'il doit préparer ou acheter. N'oubliez pas de lui préciser la quantité pour chaque chose qu'il vous faut.

5 Lisez l'invitation à une boum, puis écrivez deux autres invitations, tout en changeant les mots soulignés chaque fois.

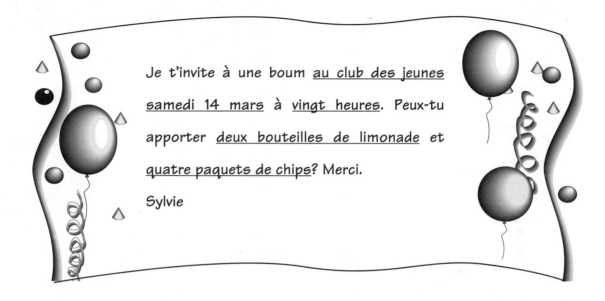

Je t'invite à une boum <u>au club des jeunes</u> <u>samedi 14 mars</u> à <u>vingt heures</u>. Peux-tu apporter <u>deux bouteilles de limonade</u> et <u>quatre paquets de chips</u>? Merci.

Sylvie

6 Lisez les définitions ci-dessous, puis regardez la liste de seize mots qui suit. Reliez chaque mot à sa définition.

a C'est la viande qui vient du cochon.

f On l'utilise pour assaisonner les plats.

b C'est une spécialité italienne qu'on peut acheter sous différentes formes.

g Ce sont des légumes qui ne sont pas cuits que l'on mange en hors-d'œuvre.

c C'est le mot général pour les viandes froides.

h C'est un sandwich grillé avec du fromage et du jambon.

d C'est la façon de manger la viande quand elle n'est pas bien cuite.

i C'est un liquide qui peut être épais, souvent à base de légumes, qu'on mange au début d'un repas.

e C'est un dessert à base de lait qui est souvent mélangé avec des fruits.

j C'est le magasin où on peut acheter des gâteaux et des tartes.

boulangerie	porc		beurre		potage	sel	saignant
pommes de terre		toast		yaourt		pâtes	
bœuf		sauce	charcuterie	crudités	Pâtisserie		croque-monsieur

À la poissonnerie

Niveau supérieur

7 Ci-dessous il y a un extrait d'une lettre qui décrit un repas désastreux, mais toutes les phrases sont mélangées. Remettez les phrases dans le bon ordre. Il y a cinq paragraphes et, pour vous aider, le début de chaque paragraphe est marqué d'un **P**.

1 Mon père avait réservé une table deux jours avant. **P3**

2 Ton repas gastronomique était une expérience incroyable!

3 ... mais il était très occupé.

4 ... était un steak servi avec des légumes et une sauce "spéciale".

5 ... qui coûtait vingt livres par personne.

6 ... sans attendre le dessert. Nous étions très déçus.

7 ... le maître d'hôtel nous a dit que toutes les tables étaient occupées.

8 Moi, j'ai mangé dans un restaurant chic avec ma famille il y a quelques semaines, ... **P2**

9 Par conséquent, mon père voulait parler avec le chef, ...

10 A notre grande surprise, la viande était saignante ...

11 Finalement, après avoir attendu presque une demi-heure, nous avons pu nous asseoir. On avait vraiment faim!

12 Merci pour ta lettre, ... **P1**

13 Nous avons décidé de partir, ... **P5**

14 Ensuite, environ une heure plus tard, on a apporté le plat principal, qui ...

15 ... mais c'était une expérience tout à fait différente de la tienne!

16 Nous avons pris le menu à prix fixe, ... **P4**

17 ... et nous avions précisé "bien cuit". Tu peux imaginer notre réaction!

18 Pour commencer nous avons pris la soupe au poisson, qui était froide et plutôt fade.

19 ... qui est arrivée ce matin.

20 Cependant, lorsque nous sommes arrivés au restaurant ...

8 Relisez la lettre que vous avez mise dans le bon ordre.

Dressez une liste des mots et des expressions qu'on a utilisés dans la lettre pour relier les phrases ou les parties d'une phrase.

Exemple: mais

9 Maintenant écrivez d'autres phrases dans lesquelles vous utilisez chaque mot ou expression de l'Exercice 8.

A notre grande surprise, la viande était saignante . . .

10 Racontez en environ 150 mots les détails d'un repas formidable que vous avez pris dans un restaurant récemment. Servez-vous des mots et des expressions de l'Exercice 7. N'oubliez pas d'utiliser des paragraphes!

La santé

Les maladies en général

Grammaire

J'ai Mon frère **a** Ma cousine **a**	**mal**	**au** dos **au** doigt
		à la jambe **à la** tête
		à l'oreille **à l'**estomac
		aux dents **aux** yeux

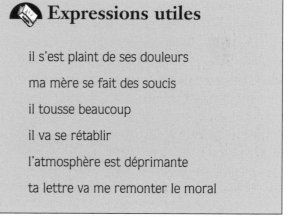

Expressions utiles

il s'est plaint de ses douleurs

ma mère se fait des soucis

il tousse beaucoup

il va se rétablir

l'atmosphère est déprimante

ta lettre va me remonter le moral

Je **suis** Ma mère **est** Mon ami **est**	**allergique**	**au** fromage **au** lait
		à la laine **à la** crème fraîche
		à l'herbe **à l'**ail
		aux cacahuètes **aux** œufs

⬤ Niveau de base

1 Voici des parties du corps, coupées en deux. Pouvez-vous remettre les deux parties ensemble?
Exemple: bo-uche

a	bo-	-aule
b	ch-	-nton
c	do-	-itrine
d	ép-	-eilles
e	es-	-eveux
f	ge-	-tomac
g	go-	-nou
h	me-	-uche
i	or-	-rge
j	po-	-igts

2 Dessinez une personne, puis écrivez les mots de l'Exercice 1 à la bonne place.

3 Dressez une liste de dix maladies. Utilisez votre dictionnaire si nécessaire!
Exemple: J'ai un rhume.

4 Dressez une liste de dix allergies. Utilisez votre dictionnaire si nécessaire!
Exemple: Je suis allergique aux cacahuètes.

5 Remettez les lettres dans l'ordre pour trouver cinq choses qu'on peut acheter à la pharmacie. Tous les mots sont dans l'ordre alphabétique:

a	pieasinr
b	hccseta
c	iapsetsll
d	eomampd
e	rapadpsar

La pharmacie

⬤ Niveau supérieur

6 Ecrivez un billet d'absence comme ci-dessous. Changez les jours d'absence, la maladie et le conseil du médecin.

Cher Monsieur Lacot,

Veuillez excuser l'absence de Laurent les lundi, mardi et mercredi de cette semaine. Dimanche dans la nuit il a vomi plusieurs fois et nous avons dû appeler le médecin qui lui a conseillé de rester au lit pendant quelques jours.

Maintenant il se sent beaucoup mieux et il a décidé lui-même de se présenter aux cours aujourd'hui.

Amicalement,

F. Barthès

---

7 Lisez la lettre de Thomas à la page suivante, puis choisissez dans la liste qui suit le verbe qui manque pour chaque blanc.

Mon grand-père est obligé de prendre toutes sortes de médicaments

Angers, le 19 février

Cher Steven,

Cela _____ très longtemps que je ne t'ai pas _____ , mais ces dernières semaines ont _____ très stressantes pour notre famille.

Comme tu le _____ déjà, mon grand-père habite chez nous et depuis plus d'un mois il ne _____ pas bien du tout. Il a _____ être hospitalisé trois fois pour se faire examiner, car il s'est plaint de douleurs un peu partout et il le _____ très difficile de manger. Cela le déprime beaucoup et, comme tu _____ imaginer, ma mère se fait beaucoup de soucis, surtout parce que les médecins ne _____ pas dire ce qu'il a.

Il _____ garder le lit et il est obligé de prendre toutes sortes de médicaments plusieurs fois par jour – des sirops et des cachets – et cela le fatigue beaucoup. Depuis une semaine il tousse tout le temps et il _____ très mal la nuit. Nous _____ combien il doit souffrir. L'atmosphère chez nous est très triste.

Ce qui m'inquiète le plus, c'est qu'il a _____ complètement son sens d'humour et son énergie. Jusqu'à il y a un mois il _____ tous les jours, travaillait dans le jardin et rigolait tout le temps. Le changement nous choque.

On _____ seulement espérer qu'il pourra se rétablir, mais il a soixante dix-neuf ans maintenant et devient de plus en plus faible.

Je suis désolé de n'avoir que des nouvelles déprimantes, mais en ce moment nous ne pensons qu'à mon pauvre grand-père.

Ecris-moi pour me remonter le moral! J'en ai besoin!

A bientôt,

Thomas

doit	écrit	perdu	peuvent	sortait
dort	été	peut	sais	trouve
dû	fait	peux	savons	va

8 Relisez la lettre de Thomas et dressez une liste de tous les problèmes de son grand-père.
Exemple: Il a dû être hospitalisé.

9 Imaginez que vous êtes le grand-père de Thomas. Ecrivez dix phrases pour indiquer ce que vous ne pouvez plus faire.

Exemple: Je ne peux plus sortir seul.

Le régime

Grammaire

Je **peux**	**suivre** un régime
Elle **peut**	**manger** plus sain
Nous **pouvons**	**boire** moins d'alcool
Je **dois**	
Il **doit**	
Nous **devons**	
On **devrait**	
Ils **devraient**	

Pouvez-vous m'**aider**	**à**	**résoudre** mes problèmes
Je vous **aiderai**		**cuisiner** des plats plus sains
Elle **ne réussit pas**		**maigrir**
Nous **avons réussi**		

Je **passe**	tout le temps	**à**	**manger**
Nous **avons passé**	toute la journée		**faire** du vélo
Ma mère **passera**			**nager**

Je lui **demanderai**	**de**	**manger** moins
Elle m'**a demandé**		**donner** des conseils
Nous leur **avons demandé**		**suivre** un régime

◖ Niveau de base

10 Dressez une liste de:

   a cinq choses dont on devrait manger davantage pour faire un bon régime.

   b cinq choses dont on devrait boire davantage pour faire un bon régime.

   c cinq choses que l'on devrait manger moins pour faire un bon régime.

   d cinq choses que l'on devrait boire moins pour faire un bon régime.

   e cinq activités qui sont bonnes pour la santé.

   f cinq activités qui sont mauvaises pour la santé.

11 Ecrivez environ 80–100 mots pour expliquer si vous êtes en bonne santé ou non. Répondez aux questions suivantes:

- Qu'est-ce que vous mangez?
- Quels sports pratiquez-vous?
- Est-ce que vous fumez?

◖ Niveau supérieur

12 Lisez la lettre ci-contre que Sylvie a envoyée à un magazine pour les jeunes. Ensuite, remplissez les blancs en vous servant de la liste de mots qui suit. Attention! Il y a seize mots mais seulement dix blancs.

Blois, le 10 mai

Chère Tante Agathe,

Je vous écris dans l'espoir que vous pourrez m'aider à résoudre mes problèmes, qui me préoccupent _____ des mois.

D'abord, j'ai presque seize ans et, malgré tous mes efforts, je ne réussis pas à trouver de petit ami. Toutes mes _____ sortent avec des mecs du lycée et moi je suis obligée de _____ seule chez moi le week-end. Je passe tout mon temps à regarder la télé dans ma chambre. Cela me déprime tellement que je ne sais plus quoi faire! Que me _____-vous?

Mes parents me disent chaque jour que je ne devrais pas me faire de _____ , mais il y a quelques semaines j'étais au Macdo avec ma cousine et elle m'a dit que je bouffais _____ un cochon! En plus, elle m'a demandé de me peser en rentrant à la maison. Je l'ai fait et _____ horreur! Mais qu'est-ce que je _____ faire? J'adore manger – que ce soit le chocolat, les chips, les hamburgers ou les pommes frites. Pourtant, toutes mes copines boivent de l'alcool et _____ , mais pas moi. Mes parents me refusent la permission de sortir avec elles à cause de ça, même si j'insiste pour dire que je n'ai aucune envie de boire de l'alcool ou de fumer. Ce sont vraiment de mauvaises _____ . Mais pour moi, en même temps, c'est vraiment injuste!

Comment est-ce que je peux agir pour me sentir mieux dans ma peau? Je vous supplie de me répondre le plus vite possible!

Sylvie F.

cigarettes	copines	fument	pensez	quelle
comme	copains	fumer	peux	rester
conseillez	depuis	habitudes	pour	soucis
			qu'	

13 Relisez la lettre ci-dessus et rédigez une réponse. Donnez des conseils à Sylvie pour l'aider à résoudre ses problèmes. Ecrivez environ 150 mots en français.

Le tabagisme

◗ Grammaire

Je voudrais **arrêter**	**de**	**fumer**
Mes copains **ont arrêté**		
Il a l'intention d'**arrêter**		

◗ Niveau supérieur

14 Posez les dix questions suivantes à cinq personnes dans votre classe. Chaque étudiant(e) doit imaginer qu'il/elle fume.

a   Tu fumes?

b   Tu fumes depuis quand?

c   Tu fumes combien de cigarettes par jour?

d   Tu dépenses combien par semaine pour fumer?

e   Pourquoi est-ce que tu fumes?

f   Où est-ce que tu fumes?

g   Tes parents sont d'accord avec le fait que tu fumes?

h   Qu'est-ce que tu pourrais acheter si tu ne fumais pas?

i   Quand est-ce que tu as l'intention d'arrêter de fumer?

j   Pourquoi est-ce que tu veux arrêter de fumer?

15 Ecrivez dix phrases différentes pour résumer les résultats de votre sondage.

16 Pourquoi fumer est-il mauvais pour la santé? Ecrivez cinq réponses en utilisant des phrases complètes. Servez-vous des idées ci-dessous.

- l'odeur
- le prix
- la santé physique
- le bien-être des autres

17 Imaginez que vous avez arrêté de fumer. Ecrivez cinq phrases pour expliquer les différences que vous remarquez.

Ma famille, mes amis et moi

 Grammaire

Mon père **Mon** ami	est	**grand** **petit**
Ma mère **Ma** tante		**grande** **petite**
Mes parents **Mes** cousins	sont	**grands** **petits**
Mes sœurs **Mes** amies		**grandes** **petites**

Mon père **vient** Nous **venons**	**de**	**vendre** la voiture **louer** un gîte en Bretagne	
Je **viens** Ma sœur **vient**	**d'**	**avoir**	quatorze ans seize ans

Mon petit frère vient d'avoir neuf ans

Expressions utiles

mon père s'est remarié

je lui rends visite une fois par mois

🌑 Niveau de base

1 Vous allez participer à l'échange avec un collège français. Vous devez remplir la fiche d'inscription ci-dessous pour votre professeur de français.

FICHE D'INSCRIPTION

NOM DE FAMILLE   PRÉNOM   ADRESSE

NUMÉRO DE TÉLÉPHONE   AGE   NATIONALITÉ

DATE DE NAISSANCE   LIEU DE NAISSANCE   FRÈRES ET SŒURS (avec âge)

ANIMAUX   PROFESSION DU PÈRE   PROFESSION DE LA MÈRE

DÉCRIVEZ VOTRE PERSONNALITÉ (qualités et défauts – cinq mots)

---

2 Voici une liste d'adjectifs qu'on peut utiliser pour décrire la personnalité de quelqu'un, mais chaque mot est coupé en deux. Pouvez-vous remettre les deux parties ensemble?

Exemple: aim-able

a	aim-	-rmant
b	bêt-	-chant
c	cha-	-ïste
d	drô-	-pathique
e	égo-	-ieux
f	hon-	-esseux
g	jal-	-e
h	méc-	-sible
i	par-	-able
j	sen-	-le
k	sér-	-nête
l	sym-	-oux

3 Dans une lettre à votre ami(e) français(e) vous voulez lui poser des questions, mais quel est le premier mot de chaque question? Choisissez dans la liste qui suit le mot ou l'expression qui manque.

a _____ doit faire la vaisselle chez toi?

f _____ tu veux venir ici à Pâques?

b _____ font tes parents?

g _____ de personnes habitent à Calais?

c _____ activités y a-t-il à Calais pour les jeunes?

h _____ se trouve ta maison exactement?

d _____ sont tes passe-temps?

i _____ est-ce que tu dois te coucher?

e _____ est ton chien?

j _____ tu fais généralement le week-end?

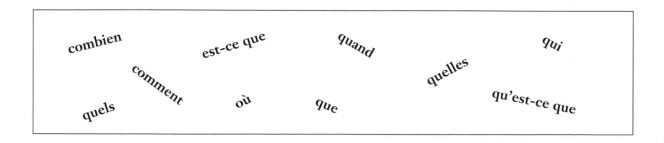

combien   est-ce que   quand   qui

comment   quelles

quels   où   que   qu'est-ce que

4 Lisez la lettre d'introduction écrite par un jeune Français. Dans certaines phrases vous devez choisir le mot correct.

Montbéliard, le 3 avril

Cher Paul,

Salut! Je suis très **content/contente/contents** d'être ton nouveau correspondant. J'espère que tu peux venir me voir ici en France. Peut-être en juillet?

Bon, je me présente. Je m'appelle Jean-Philippe Aubigny et je viens d'avoir quatorze ans. Ma date d'anniversaire, c'est le 30 mars. Mes parents sont **divorcé/divorcés/divorcées** et j'habite avec ma mère, qui s'appelle Marie-Hélène. Elle est très **gentil/gentille** et **extraverti/extravertie**. Elle a les cheveux **blond/blonde/blonds/blondes**. Elle travaille comme vendeuse dans un grand magasin au rayon de vêtements. Elle adore les films et la lecture.

Mon père s'appelle Patrick et il habite dans la banlieue parisienne. Il s'est remarié et je lui rends visite une fois par mois. Il est très **grand/grande**, mais il est chauve! Il est trop **sérieux/sérieuse** et devient souvent **impatient/impatiente**. Comme passe-temps, il est assez **sportif/sportive** et il joue au squash et fait de l'escrime. Il travaille comme représentant pour une grande compagnie au centre de Paris, alors il voyage beaucoup.

Et moi? Je suis très sociable et je suis toujours de bonne humeur! Je mesure un mètre quatre-vingt-quatre, alors je suis très **grand/grande** pour mon âge. J'ai les cheveux **long/longue/longs/longues**. Je suis en troisième et j'adore les sciences et le dessin. Mes passe-temps **préféré/préférée/préférés/préférées** sont le cyclisme, la natation et la planche à voile.

Eh bien, voilà. Maintenant tu nous connais, ma famille et moi. Dans ta lettre parle-moi de toi-même et de ta famille.

A bientôt.

Amitiés,

Jean-Philippe

Mon père fait de l'escrime.

5 Remettez les lettres dans l'ordre pour trouver dix mots qui se trouvent dans la lettre à la page 41. Attention! Ils ne sont pas dans l'ordre du texte.

a uhcevxe

b etôitbn

c etuercl

d nntoiata

e uoueanv

f mceeisr

g lebnuaei

h ehuvca

i ndseuvee

6 Maintenant, en vous servant de la lettre dans l'Exercice 4, remplissez la fiche qui suit pour Jean-Philippe.

NOM DE FAMILLE

PRÉNOM

ADRESSE

AGE

FRÈRES ET SŒURS

ANIMAUX

PROFESSION DU PÈRE

PROFESSION DE LA MÈRE

DÉCRIVEZ VOTRE PERSONNALITÉ

---

7 Ecrivez une réponse d'environ 80–100 mots à la lettre de Jean-Philippe. Utilisez et développez vos réponses de l'Exercice 1.

◗ Niveau supérieur

8 Voici un extrait d'une lettre où on parle des avantages et des désavantages d'avoir une sœur, mais tous les paragraphes sont mélangés. Il faut les remettre dans le bon ordre.

a Mais il y a des désavantages aussi. Ma sœur a beaucoup de copines et elles sont toujours à la maison. Elles font beaucoup de bruit et cela m'énerve.

b Un autre avantage, c'est que nous pouvons partager le travail que nos parents nous demandent de faire. Moi, je fais la moitié du travail de mon meilleur copain puisqu'il est fils unique! Lui, il doit faire la vaisselle tous les jours! Si j'étais à sa place, je ne serais pas content!

c Dans l'ensemble, elle est embêtante, mais sans doute elle est comme toutes les filles de neuf ans!

➡

d | Les avantages sont très évidents. Si je suis de mauvaise humeur et je veux me disputer avec quelqu'un, je choisis ma sœur. Comme elle est moins âgée que moi, je suis toujours sûr de gagner! Ce n'est pas très juste, je sais, mais c'est la vie!

e | Cependant, le plus grand désavantage, c'est le fait qu'elle raconte tout à mes parents. Par exemple, si j'ai des ennuis à l'école ou si j'oublie de ranger ma chambre ou de promener le chien.

f | Nous sommes quatre personnes dans la famille. A part mon père et ma mère, il y a ma petite sœur, Sophie. Est-ce que c'est plutôt un avantage ou un désavantage d'avoir une sœur?

g | Un troisième avantage, c'est que ma sœur m'aide à gagner de l'argent. Si mes parents sortent le soir, je dois surveiller ma sœur et mes parents me payent pour cela. De cette manière, je peux acheter des CD et aller au cinéma.

9 Maintenant, rédigez votre réponse sur les avantages et les désavantages d'être enfant unique ou d'avoir des frères et des sœurs. Ecrivez environ 150 mots.

10 Un magazine français vous invite à participer à une compétition dans laquelle on essaie de trouver le/la petit(e) ami(e) idéal(e).

Décrivez votre petit(e) ami(e) en 150 mots en vous servant des points ci-dessous. Utilisez des phrases complètes.

- Nom et âge
- Détails concernant sa famille
- Traits physiques
- Personnalité
- Passe-temps
- Racontez une situation où il/elle s'est montré(e) un(e) ami(e) idéal(e).

11 Choisissez quelqu'un que vous admirez – une chanteuse, un acteur ou un joueur de foot, par exemple – et expliquez pourquoi vous l'admirez. Ecrivez environ 150 mots.

Chapitre 6

Les passe-temps et le temps libre

Les passe-temps

🌑 Grammaire

J'ai Marc **a** Nous **avons** Les garçons **ont**	**joué** au football **regardé** la télé
	lu une bande dessinée **vu** un bon film
	fait une promenade en bateau **été** à la plage hier

 Expressions utiles

l'émission se déroule à Perpignan

🌑 Niveau de base

1 Dressez une liste de:

a dix sports

b dix activités non-sportives

c cinq sortes d'émissions à la télévision

d cinq activités qu'on peut faire dans votre ville/village et cinq qu'on ne peut pas faire.

2 Regardez les résultats d'un sondage effectué dans un collège français où les élèves ont voté pour leur sport préféré. Utilisez les résultats pour remplir les blancs dans les phrases qui suivent.

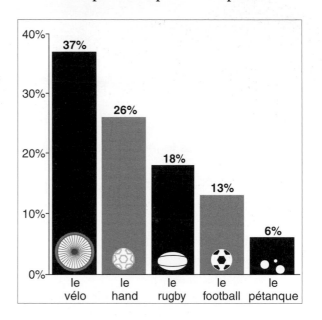

a Dix-huit pour cent des jeunes jouent au _____ .

b Le football est plus populaire que _____

_____ .

c Le _____ est le passe-temps le plus populaire.

d La pétanque est le passe-temps le moins _____ .

e Le _____ se trouve en deuxième position.

3 Ecrivez une lettre au sujet de la télévision, comme celle qui suit. Changez les détails pour parler de votre émission favorite.

Arras, le 8 mai

Salut Toni!

Je m'excuse à l'avance. Je t'écris vite parce que je vais regarder la télé dans un moment.

J'aime regarder la télé. J'adore regarder les films, mais je préfère les séries. Mon émission préférée s'appelle "Mésaventures" sur TF1. Je la regarde deux fois par semaine, le mardi et le vendredi. Cela commence à seize heures trente et dure vingt-cinq minutes. Je l'adore parce que l'histoire est toujours intéressante et les personnages sont sympathiques. C'est une émission française qui se déroule à Perpignan.

Il est presque seize heures trente maintenant, alors je te laisse.

A bientôt,

Danielle

● Niveau supérieur

4 Lisez les phrases qui suivent et remplissez les blancs 1–6 dans le journal à droite.

a Lundi, après le football, j'ai un cours de danse.

b Le week-end commencera avec une partie de pétanque.

c Vendredi, avant de rendre visite à grand-mère, je vais faire la planche à voile.

d Jeudi soir je resterai chez moi pour regarder la télé.

e J'irai chez mon copain mercredi après-midi pour jouer avec l'ordinateur.

5 Maintenant, en vous servant des détails ci-dessus, écrivez encore dix phrases pour décrire vos projets possibles pour la semaine prochaine. (Attention! Il faut utiliser le futur.)

6 Ci-dessous il y a cinq phrases. Rédigez la question qui se rapporte aux mots soulignés dans chaque phrase.
Exemple: Je joue au football le samedi matin <u>à dix heures</u>.
<u>A quelle heure</u> est-ce que tu joues au football le samedi matin?

a Je joue au golf le dimanche <u>avec mes amis</u>.

b Le week-end dernier <u>j'ai lu un roman policier</u>.

c Le match commence <u>à quinze heures</u>.

d J'ai <u>deux mille</u> timbres dans ma collection.

e Nous allons au cinéma <u>parce qu'il y a un bon film</u>.

Jour	Matin	Après-midi	Soir
lundi	le foot	*1*	devoirs
mardi	dormir	chez le dentiste	télé
mercredi	courses	*2*	cinéma
jeudi	vélo	canoë	*3*
vendredi	*4*	*5*	chez moi
samedi	*6*	lèche-vitrine	boum
dimanche	église	scouts	devoirs

Jeudi, je fais du canoë

J'aime aller à la piscine avec mes amis

7 Lisez la lettre de François, puis décidez
quel participe passé de la liste ci-dessous
il faut mettre dans chaque blanc.

Lausanne, le 13 janvier

Cher David,

Tout d'abord, Bonne Année! J'espère que tu as _____ de bonnes vacances et que tu as _____ en profiter pour sortir et t'amuser un peu.

Moi, je me suis bien _____ . Comme tu sais, j'adore faire du ski et comme les montagnes ne sont pas loin, j'ai _____ du ski de piste presque tous les jours avec mon père. Plusieurs fois mon copain, Bernard, nous a accompagnés. Il faisait extrêmement froid, surtout l'après-midi.

J'ai fait des courses en ville avec des amis et j'ai _____ des cassettes de musique classique qui étaient à prix réduit. On est _____ au cinéma une fois pour voir un film policier allemand qui était doublé en français. C'était un peu ennuyeux parce que tout le monde savait au début qui était le meurtrier. J'adore toutes sortes de films, comme je t'ai déjà _____ , et un jour je voudrais être metteur en scène.

Le jour de Noël mes parents et moi, nous avons _____ chez mon oncle Charles près de Montreux. Comme il adore faire la cuisine, il nous a _____ une véritable fête avec huit plats différents. Malheureusement, j'ai _____ trop de champagne et j'ai _____ le lendemain!

Qu'est-ce que j'ai fait à part cela? Eh bien, j'ai _____ – surtout des magazines sur l'informatique, pour laquelle je me passionne – et j'ai _____ pas mal de télévision, car il y a _____ beaucoup de matchs de football. Mon équipe préférée a _____ un match très important et se trouve actuellement en tête du championnat pour la première fois depuis douze ans! Et, bien sûr, j'ai _____ faire des devoirs car j'ai des contrôles en anglais et en histoire la semaine prochaine.

Bon, je dois te laisser maintenant. Raconte-moi comment tu as passé les vacances de Noël et parle-moi de tes projets pour Pâques.

Salut,

François

---

acheté	bu	dû	lu	pu
allé	dîné	eu	passé	regardé
amusé	dit	fait	préparé	souffert
		gagné		

8 Maintenant répondez aux questions suivantes sur la lettre.

  a Quel temps faisait-il à Lausanne?
  b Qu'est-ce que François a vu comme film?
  c Comment était le repas que son oncle a préparé?
  d Comment est-ce que François trouve l'informatique?
  e Quand est-ce que son équipe de football était en tête du championnat la dernière fois?

9 Maintenant répondez à la lettre de François. Décrivez comment vous avez passé les vacances de Noël. Ecrivez environ 150 mots.

J'adore faire du ski!

L'argent de poche

 Expressions utiles

les clients me manquent

au lieu de travailler, j'ai un prof

je dois travailler – quelle barbe!

il est exigeant

j'ai fait la connaissance de plein de personnes

il était paresseux

Niveau de base

10 Ci-dessous il y a sept questions et sept réponses au sujet de l'argent de poche. Reliez-les.

1 Est-ce que vous recevez de l'argent de poche?

2 Qui vous donne de l'argent de poche?

3 Combien d'argent est-ce que vous recevez?

4 Est-ce que vous recevez de l'argent de poche une fois par mois?

5 Qu'est-ce que vous achetez avec cet argent?

6 Vous faites des économies pour quoi?

7 Est-ce que vous devez gagner votre argent de poche?

a Non, je reçois mon argent de poche deux fois par mois.

b Oui, je promène le chien tous les matins.

c Je reçois de l'argent de mes parents et de ma grand-mère.

d En tout, je reçois cinq livres sterling par quinzaine.

e Je mets l'argent à la banque pour mes vacances.

f Oui, je reçois de l'argent de poche.

g J'achète des vêtements et l'équipement sportif.

11 Maintenant répondez pour vous-même aux questions ci-dessus en utilisant des phrases complètes. Si nécessaire, utilisez votre imagination!

Niveau supérieur

12 Le rédacteur d'un magazine pour les jeunes a demandé à ses lecteurs de raconter leurs expériences du boulot le week-end. Lisez l'article qui suit et, avec l'aide de la première lettre, trouvez les quinze verbes qui manquent. (Attention! La plupart des verbes sont des participes passés.)

Il y a environ deux semaines j'ai d_____ de terminer mon travail dans le magasin de presse près de chez moi. J'ai t_____ dans ce magasin pendant dix-huit mois et j'ai beaucoup a_____ le contact avec les clients et, bien sûr, l'argent que j'ai g_____ (environ dix-huit livres sterling pour une journée de travail de huit heures). Alors, pourquoi est-ce que j'ai p_____ cette décision?

Eh bien, mes examens s'approchent rapidement et je d_____ faire beaucoup de révision, surtout pour les maths, parce que je s_____ très faible. Maintenant, le samedi matin, au lieu de travailler au magasin, j'ai un prof de maths qui v_____ à la maison. Quelle barbe!

En plus, j'ai e_____ quelques problèmes avec le propriétaire du magasin. Il est très exigeant et il m'a réprimandé beaucoup de fois, même devant les clients. Je ne p_____ pas supporter cela. A part ceci j'ai d_____ aussi faire des courses pour le propriétaire dans le village, mais j'ai d_____ cela, car lui, il était trop paresseux et j'ai é_____ obligé de transporter des sacs très lourds du supermarché au magasin de presse, une distance d'environ deux kilomètres.

Néanmoins, comme j'ai déjà d_____ , les clients me manquent beaucoup et j'ai f_____ la connaissance de plein de personnes intéressantes. Mais dans l'ensemble, je suis bien content d'avoir terminé ce travail. Peut-être qu'un jour on m'offrira le boulot de mes rêves.

13 Maintenant dressez une liste des avantages et des inconvénients d'un petit boulot. Utilisez l'article ci-dessus et vos propres expériences!

14 Avec l'aide de l'Exercice 13, écrivez une lettre d'environ 150 mots à votre correspondant(e) français(e) dans laquelle vous lui parlez du petit boulot que vous faites depuis dix mois.

Les achats

⬤ Grammaire

J'espère que le cadeau	**plaira à** ta mère **lui plaira**
Cette chemise Ce pantalon	**me plaît**

| J'**ai décidé** | **de** | **prendre** un casse-croûte
monter au deuxième étage |
| | **d'** | **acheter** des souvenirs
aller au grand magasin |

| Nous **avons commencé**
J'**ai commencé** | **à** | **faire** les achats
choisir un cadeau |

 ## Expressions utiles

c'était la semaine des soldes

malgré cela il y avait du monde

l'escalier roulant ne marchait pas

j'étais crevé(e)

j'étais trempé(e) jusqu'aux os

Niveau de base

15 Dressez une liste de:

a   dix magasins

b   dix vêtements

c   dix cadeaux

16 Ecrivez cinq phrases pour dire où on achète quoi. Trouvez cinq objets différents et cinq magasins différents.
Exemple: On achète du pain à la boulangerie.

Niveau supérieur

17 Dressez une liste de cinq phrases qui décrivent cinq problèmes que l'on pourrait rencontrer lorsqu'on veut acheter des vêtements.
Exemple: La robe est trop courte.

18 Lisez la lettre à la page 54, puis relisez-la en dressant une liste de mots et d'expressions qui relient les phrases ou les deux sections d'une phrase.
Exemple: comme

Sèvres, le 26 juin

Chère Debbie,

Comme tu vois, j'envoie un petit cadeau avec cette lettre. Peux-tu le donner à ta mère comme remerciement pour tout ce qu'elle a fait pour moi pendant l'échange. C'est un vase en porcelaine que j'ai acheté il y a quelques jours à Paris.

Je voulais envoyer quelque chose de typique de cette région et, comme tu le sais, la porcelaine de Sèvres est connue partout dans le monde. Cependant, tu ne peux pas imaginer les problèmes que j'ai eus pour trouver quelque chose de convenable.

Comme c'était la semaine des soldes, je suis arrivée au centre-ville très tôt le matin. Malgré cela, il y avait déjà du monde et, par conséquent, dans le premier magasin, je suis restée coincée au rez-de-chaussée et les vases se trouvaient au cinquième étage ! J'ai donc décidé de faire mon achat ailleurs.

Malheureusement, en route pour le deuxième magasin, il a commencé à pleuvoir à verse. Au bout de deux minutes, j'étais trempée jusqu'aux os. A cause de cela j'étais tellement énervée que j'ai décidé de prendre un casse-croûte dans un petit bistrot du coin.

Une demi-heure plus tard je me sentais de meilleure humeur et, après avoir quitté le bistrot, je suis entrée dans un grand magasin.
Là aussi il y avait plein de gens mais, encore pire, l'escalier roulant ne marchait pas. J'ai donc été obligée d'utiliser l'escalier pour arriver au septième étage. Une fois en haut, j'étais crevée et fâchée. Heureusement, j'ai réussi à trouver ce vase qu'une vendeuse extrêmement impolie a emballé, tout en se plaignant.

J'espère qu'il plaira à ta mère. Comme toujours, j'attends de tes nouvelles avec impatience.

Grosses bises,

Jacqueline.

19 Ci-dessous il y a des phrases qui résument les événements dans la lettre de l'Exercice 18. Pouvez-vous les remettre dans l'ordre correct?

  a   Le magasin est plein de gens.
  b   Elle demande à Debbie d'écrire vite.
  c   Elle explique pourquoi elle envoie le cadeau.
  d   Elle achète le cadeau.
  e   Le cadeau est fabriqué dans sa région.
  f   Elle mange quelque chose parce qu'il pleut.

20 Maintenant répondez à la lettre de Jacqueline et racontez vos expériences inoubliables en ville en faisant les achats. Ecrivez environ 150 mots.

Les rendez-vous

🔵 Grammaire

J'**arriverai**	à la gare	vers vingt heures
Mon correspondant **arrivera**	au port	à midi
Nous **arriverons**	devant la mairie	
Ils **arriveront**	au cinéma	

● **Niveau de base**

21 Lisez ce petit message par lequel un(e) ami(e) vous invite à faire quelque chose.

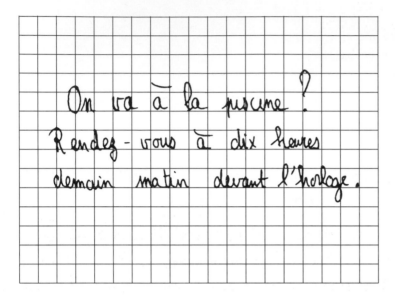

On va à la piscine ?
Rendez-vous à dix heures
demain matin devant l'horloge.

En vous servant du message ci-dessus écrivez encore cinq messages. Chaque fois il faut écrire:

a   où on va
b   l'heure du rendez-vous
c   où on se rencontre.

Niveau supérieur

22 Lisez la lettre ci-dessous, puis écrivez une autre lettre d'entre 80 et 100 mots dans laquelle vous acceptez une invitation d'aller en France. Répondez aux questions qui suiventet et ajoutez d'autres détails.

Perton, le 13 avril

Cher Michel,

Je te remercie pour ta lettre, qui est arrivée hier matin. Merci aussi pour les photos de ton chien.

Je veux bien accepter ton invitation – c'est très gentil. Merci mille fois. Je voudrais venir le vingt-huit juillet et rester jusqu'au vingt-sept août. Ce sera mon premier voyage en France. Quel vêtements est-ce que je dois prendre ? Est-ce qu'il fait chaud à Poitiers en été ?

J'ai l'intention de prendre le train et j'ai déjà téléphoné à la gare pour obtenir des renseignements. J'arriverai à la gare de Poitiers à vingt-trois heures dix. Est-ce que tes parents peuvent venir me chercher à la gare ?

Mes parents ont dit que tu pouvais passer les vacances de Noël chez nous, si tu veux. Qu'est-ce que tu en penses ?

J'attends ta réponse avec impatience.

Amitiés

Jo

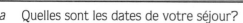

a   Quelles sont les dates de votre séjour?

b   Vous avez déjà visité la France?

c   Comment est-ce que vous comptez voyager?

d   A quelle heure est-ce que vous arriverez?

e   Posez trois autres questions.

 # Chapitre 7

Autour de moi

Ma région

Expressions utiles

j'aime faire du lèche-vitrine

il y a des livres d'occasion

les magasins d'alimentation font venir
l'eau à la bouche

on peut se servir des autobus

on peut remonter dans le passé

cela vaut la peine

aux alentours de Dijon

Au centre-ville

Niveau de base

1 Ci-dessous il y a une liste des attractions
dans une région. Remplissez les blancs
pour compléter les mots.

a c_â_e_u

b p_a_e

c d_s_o_h_q_e

d j_r_i_ p_b_i_

e p_t_n_i_e

f c_n_r_ s_o_t_f

g t_é_t_e

h p_s_i_e

i m_r_h_

j c_n_r_ c_m_e_c_a_

2 Dans la grille ci-dessous trouvez douze magasins ou bâtiments qui sont écrits horizontalement ou verticalement. Attention! Certains mots sont écrits à l'envers.

```
G  P  O  S  T  A  R  T  I  B  A  C
E  U  Q  E  H  T  O  I  L  B  I  B
N  O  U  S  A  M  P  O  S  T  E  C
D  R  E  U  Q  N  A  B  E  E  S  T
A  H  C  A  B  A  T  S  H  I  P  A
R  O  L  A  E  P  I  C  E  R  I  E
M  P  S  T  E  N  S  O  B  E  R  G
E  I  B  O  U  C  S  R  O  H  E  L
R  T  A  G  A  R  E  E  U  C  S  I
I  A  R  T  S  E  R  P  L  U  T  S
E  L  G  E  R  I  I  U  A  O  A  E
E  I  R  I  A  M  E  S  N  B  U  N
```

A la boulangerie-pâtisserie

3 Ecrivez et illustrez une feuille de publicité ou un dépliant pour attirer des touristes francophones dans votre région.

Vous pouvez utiliser les sites historiques, les bâtiments importants, les musées, etc.

4 Ecrivez une lettre d'environ 80–100 mots à votre correspondant(e). Vous décrivez ce qu'il y a à voir et à faire dans votre région. N'oubliez pas l'introduction!

Voici des mots et des expressions que vous pouvez utiliser:

Je vais te parler de ma région

Comme magasins il y a ...

A ... kilomètre(s) d'ici ...

Il y a ...

Au centre-ville ...

Merci pour ...

... n'est pas très loin

aussi   intéressant   beau/belle   vieux/vieille   petit(e)   grand(e)

5 Vous voulez obtenir des renseignements sur la ville/la région de votre correspondant(e). Il y a des questions ci-dessous, mais on les a coupées en deux. Pouvez-vous les relier?

1	Qu'est-ce qu'il y a comme . . .	*a*	. . . ferment les magasins?
2	Où est-ce qu'on . . .	*b*	. . . plats typiques de la région?
3	Est-ce qu'il y a . . .	*c*	. . . il y a un syndicat d'initiative?
4	Quels sont les . . .	*d*	. . . population de la ville?
5	Comment peut-on . . .	*e*	. . . distractions dans la région?
6	A quelle heure . . .	*f*	. . . beaucoup à faire pour les jeunes?
7	Est-ce qu' . . .	*g*	. . . voyager dans la ville?
8	Est-ce que tu . . .	*h*	. . . y a-t-il dans la ville?
9	Combien de cinémas . . .	*i*	. . . peut faire du sport?
10	Quelle est la . . .	*j*	. . . peux m'envoyer des dépliants?

6 Maintenant imaginez que vous êtes le/la correspondant(e) de la personne qui a posé les questions dans l'Exercice 5. Ecrivez une lettre de réponse pour n'importe quelle région d'un pays francophone. Faites des recherches.

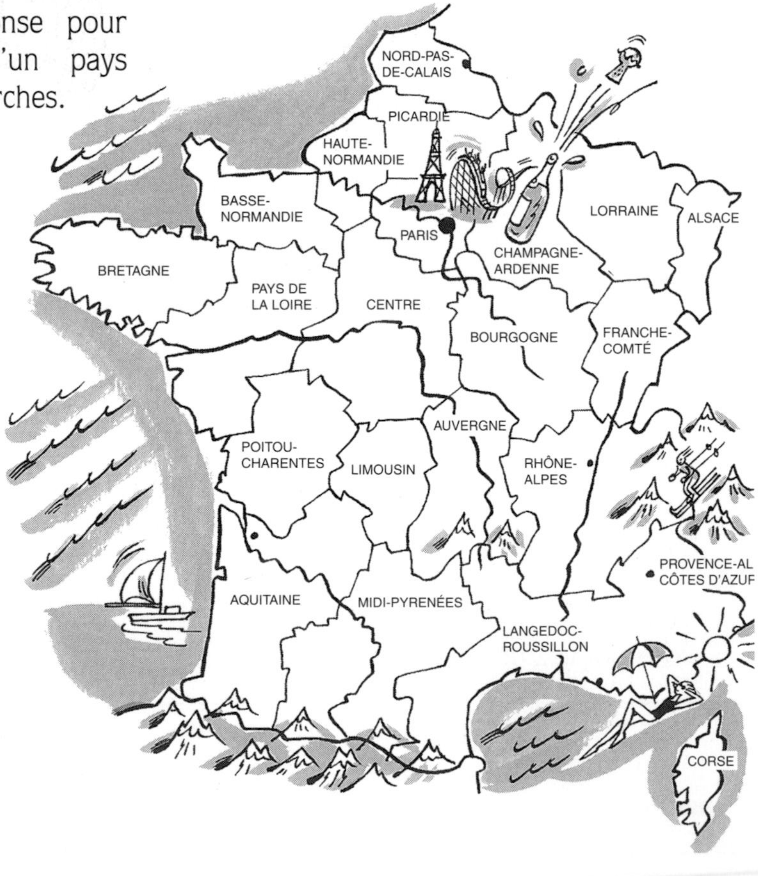

🔵 Niveau supérieur

7 Lisez cet article écrit par un jeune Français pour un guide touristique de sa région. Ensuite, relisez-le en dressant une liste de mots et d'expressions qui relient les phrases ou les deux sections d'une phrase.

Exemple: en plus

Dijon, la capitale de la Bourgogne, est une ville historique qui peut beaucoup plaire aux touristes de tous les âges. En plus, les habitants de la ville sont très fiers d'y habiter.

Pour ceux qui adorent les magasins ou aiment tout simplement faire du lèche-vitrine, la ville a un choix énorme de magasins, surtout dans les vieilles rues près du centre. A part les bijouteries, les magasins de cadeaux et les boutiques qui vendent des choses à la dernière mode, il y a aussi beaucoup de librairies où vous trouverez presque toujours des livres d'occasion, des magasins d'alimentation qui font venir l'eau à la bouche et des grands magasins.

Et, qui plus est, en plein centre autant qu'à l'extérieur de la ville, il y a des centres commerciaux. Même si on n'a pas de voiture, on peut se servir des autobus fréquents.

Partout dans la ville on peut remonter dans le passé. D'abord, il y a le Palais des Ducs de Bourgogne qu'il faut absolument visiter. Il y a aussi au moins une demi-douzaine de musées vraiment intéressants et la Place de la Libération, qui date du dix-septième siècle.

Toute la région est connue pour ses vins et sa gastronomie, surtout la moutarde, le pain d'épice et les escargots. Les plats les plus connus sont le bœuf bourguignon, le coq au vin et le jambon persillé. Il faut trouver un bon restaurant pour manger au moins une de ces spécialités. Cela vaut la peine!

Pas loin du centre-ville, il y a un lac, où on peut faire de la voile ou même de la planche à voile et il y a beaucoup de centres sportifs dans la ville, où on peut pratiquer toutes sortes de sports. De plus, il y a un bon théâtre, une salle de concerts, plusieurs cinémas et une salle d'expositions.

Ce que je dois dire en plus, c'est que la campagne aux alentours de Dijon est très belle. On peut faire des randonnées et, bien sûr, très bien manger dans les restaurants des villages.

Venez nombreux en Bourgogne – et découvrez sa capitale! Vous ne serez pas déçus!

8 En vous servant de l'article, lisez les dix phrases ci-dessous et remplissez les blancs. Attention! Les mots dont vous aurez besoin ne sont pas forcément dans le texte.

a   Dijon est la capitale de la _____ qui s'appelle la Bourgogne.

b   Il y a une très grande variété de _____ dans la ville.

c   Il y a de vieilles rues pas _____ du centre-ville.

d   On peut acheter les _____ très à la mode dans les boutiques.

e   Dans les librairies on peut trouver des livres qui ne sont pas _____.

f   Le service d'autobus est très _____.

g   On peut visiter au moins six _____ dans la ville.

h   Le coq au vin est un plat très _____ de la région.

i   On peut pratiquer deux sports _____ sur le lac.

j   On peut faire des randonnées à la _____.

9 Dressez une liste de ce qu'il y a à faire et à voir à Dijon.
Exemple: faire du lèche-vitrine

10 Remplissez les blancs dans les phrases suivantes en vous servant des mots et des expressions ci-dessous qui relient les deux sections d'une phrase.

à part   où   qui   même si/s'   ainsi que/qu'

a   Chamonix est une ville située dans les Alpes _____ peut beaucoup plaire à ceux qui adorent le ski.

b   Sur le lac on peut faire du ski nautique _____ la voile.

c   _____ le sport, il n'y a rien à faire dans ma ville le dimanche.

d   _____ il pleut, il y a beaucoup de choses à faire dans mon quartier.

e   Dans le centre commercial il y a un cinéma _____ on peut voir les derniers films.

11 Ecrivez une lettre au rédacteur de votre journal régional dans laquelle vous critiquez le manque de distractions dans votre ville. Servez-vous des mots et des expressions suivants:

Je voudrais me plaindre de ...
Il y a un manque de ...
Je trouve que ...
A mon avis ...
Il est nécessaire de ...
Il serait mieux de ...
Pourquoi est-ce qu'on ne pourrait pas ... ?
On devrait ...
Qui est responsable de ... ?
Quelles seraient les conséquences si ... ?

La ville et la campagne

Niveau de base

12 Ci-dessous il y a une liste de mots qui sont associés soit avec la campagne, soit avec la ville. Mettez chaque mot dans la catégorie qui convient. Utilisez votre dictionnaire, si nécessaire.

métro	paisible	mouton
blé	capitale	bureau
village	grand magasin	vache
embouteillage		bruit
	gratte-ciel	
pêche		pré
	ferme	
feu rouge	usine	étable

Exemples:

Campagne	Ville
blé	*bruit*

◗ Niveau supérieur

13 Helen a fait la comparaison entre la vie en ville et la vie à la campagne. Lisez ce qu'elle a écrit et, avec l'aide de la première et de la dernière lettre, trouvez les mots qui manquent.

J'habite dans une a_____z grande ville, mais q_____s je me demande si la vie à la campagne est m_____e.

Bien sûr, il y a beaucoup de d_____s en ville, par exemple, des musées, des cinémas, des théâtres et un très grand c_____x de magasins. En général, les transports sont excellents et on peut passer la s_____e dans un pub – il y en a beaucoup! On ne s'e_____e jamais.

Mais le revers de la médaille, c'est qu'il y a beaucoup de pollution c_____e par le grand nombre de voitures et de c_____s et cela cause beaucoup de stress pour les h_____s. En plus, il y a toujours le risque d'un accident dans la rue.

Mes grand-parents habitent à la c_____e et je leur rends visite avec grand plaisir c_____e week-end. L'air est pur et il n'y a presque pas de b_____t – sauf les oiseaux, les vaches, les chevaux et les m_____s. Les voisins sont gentils et ils aiment le contact avec les autres personnes. (En ville, tout le monde est t_____s pressé.) On peut se promener dans la nature – les c_____s, les bois, au bord de la rivière. C'est très bien pour la s_____é. On peut se détendre tout le temps.

Dans l'ensemble, j'aimerais m_____x passer ma vie à la campagne. Je p_____s visiter la ville avec toutes ses distractions une f_____s par mois – cela me suffirait!

Les coutumes

◗ Expressions utiles

on mange n'importe quoi

on boit à n'importe quel moment

j'ai assisté aux cours

par rapport à chez nous

un sondage auprès des élèves

Niveau supérieur

14 Voici les impressions d'un jeune Anglais, Andrew, qui visite la France pour la première fois avec son école. Les paragraphes sont mélangés. Pouvez-vous les remettre dans l'ordre correct?

Ce qui m'a frappé dès le début, c'est la nourriture! On mange comme un roi! Et, qui plus est, toute la famille mange ensemble, pas comme chez nous où on mange n'importe quoi à n'importe quel moment! La viande était superbe, les fromages aussi et on m'a offert du vin avec le déjeuner et le dîner, mélangé avec de l'eau comme on fait toujours avec les enfants. Moi, j'ai aimé cela, comme je ne bois que du coca chez moi. Oui, la France, cela vaut la peine, malgré les différences.

Une autre chose que j'ai remarquée est qu'il n'y a pas beaucoup de maisons, par rapport à l'Angleterre. La plupart des Français habitent dans un appartement. Notre prof de français nous a demandé de faire un sondage auprès des élèves au collège et on a découvert que quatre-vingt-deux pour cent habitent dans un appartement. J'imagine que les maisons doivent coûter assez cher.

Lorsque j'ai visité la France pour la première fois l'année dernière au mois d'août, j'ai été assez surpris par les différences entre la vie en Grande-Bretagne et en France.

Ce n'était pas seulement la nourriture qui était différente, mais aussi le système scolaire. J'ai assisté aux cours de Julien le deuxième jour de notre séjour et j'ai été frappé par la bonne discipline en classe. Les cours étaient très formels, car les profs parlaient beaucoup, mais les élèves écoutaient attentivement, pas comme dans notre collège! En plus, il n'y a pas d'uniforme, ce que je trouve très bien. Cependant, un grand désavantage du système français, c'est que les cours commencent à huit heures et ne finissent que vers cinq heures et, en plus, les élèves ont beaucoup de devoirs. En semaine Julien passait entre deux et trois heures par soir à faire ses devoirs!

La veille de notre départ on nous a invités à une boum. Encore des surprises! Il n'y avait que du coca, de la limonade et de l'eau minérale à boire! Mais, encore pire, on a dû supporter la musique des années soixante! Ils aiment les Beatles, ces Français! Mais, quand même, c'était une soirée intéressante et j'ai passé pas mal de temps avec Stéphanie, une belle blonde!

Nous étions une trentaine d'élèves de troisième et on était logé en famille à Thiers, en Auvergne. Ma famille – Monsieur et Madame Jouffroy et leur fils Julien, qui avait le même âge que moi – était vachement sympathique.

15 Dressez une liste des différences constatées par Andrew entre la France et la Grande-Bretagne.

16 Maintenant que vous avez remis le texte dans l'ordre correct, trouvez les mots ou les expressions qui sont définis ci-dessous.

a environ trente
b extrêmement
c à partir de
d seulement
e j'ai été présent
f tolérer
g quand on pose beaucoup de questions à quelqu'un
h le jour d'avant

17 Ecrivez une lettre au rédacteur du magazine dans lequel vous avez lu l'article d'Andrew. Parfois vous êtes d'accord avec ce qu'il a écrit et parfois vous avez une opinion différente. Voici des expressions utiles que vous devez utiliser dans votre réponse.

il a raison

je (ne) suis (pas) d'accord avec . . .

cependant . . .

à mon avis, . . .

selon moi, . . .

Andrew a tort   en revanche . . .

il exagère un peu

Ce qui ma frappé dès le début, c'est qu'on mange comme un roi!

L'environnement

Le temps et les saisons

◖ Grammaire

Il fait	**plus** chaud **moins** froid **aussi** beau	à Paris à Londres	**qu'**à	Rouen Montréal
Il y a	**plus de** neige **moins de** soleil			
Le soleil est	**plus** fort **moins** fort **aussi** fort			

En France En Belgique Au Canada	il fait	**le plus** chaud **le moins** chaud	dans le nord dans le sud

◖ Niveau de base

1 Dressez une liste de dix mots et phrases qui sont liés au temps.
Exemple: il pleut

2 Dressez une liste des quatre saisons. Ajoutez deux phrases à chaque saison qui décrivent le temps qu'il fait en général en Grande-Bretagne

3 Regardez la météo à droite, puis remplissez les blancs avec le nom de la ville qui convient.

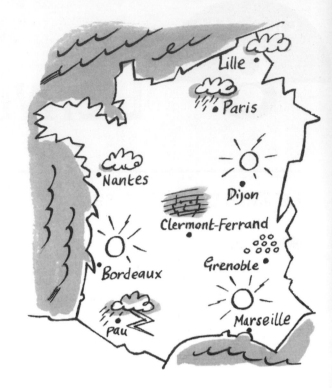

a Il fait beau à _____, à _____ et à _____.

b Il y a des nuages à _____ et à _____.

c Il pleut à _____.

d Il fait de l'orage à _____.

e Il fait du brouillard à _____.

f Il neige à _____.

4 Regardez la météo ci-dessous. Utilisez les renseignements de la carte pour écrire cinq phrases.

Exemple: Dans l'ouest de la France, il fait beau.

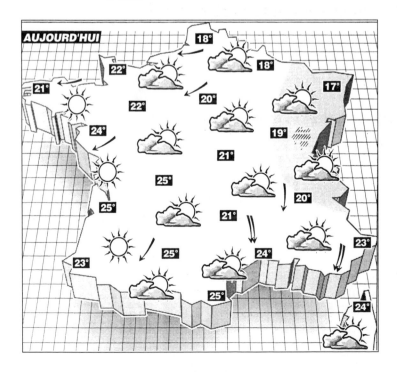

5 Regardez cette liste de températures, puis remplissez les blancs dans les phrases qui suivent.

Bordeaux	27°	Nantes	26°
Dijon	24°	Paris	25°
Grenoble	22°	Pau	24°
Lille	23°	Rouen	23°
Marseille	26°	Toulouse	25°

a Il fait plus chaud à _____ qu'à Nantes.
b Il fait moins chaud à _____ qu'à Rouen.
c Il fait aussi chaud à Marseille qu'à _____.
d Il fait aussi froid à Rouen qu'à _____.
e Il fait le plus chaud à _____.
f Il fait le moins chaud à _____.

6 Mettez les mots dans le bon ordre pour en faire des phrases correctes.

a fait il le froid plus Grenoble à

b à il le fait chaud Bordeaux plus

c fait aussi Rouen Lille que il à à chaud

d Dijon Nantes moins il chaud fait à à qu'

7 Ecrivez cinq phrases pour comparer le temps et les saisons en Grande-Bretagne et en Australie.

Exemple: En hiver, il fait plus chaud en Australie qu'en Grande-Bretagne.

Essayez d'utiliser des phrases comparatives.

◗ Niveau supérieur

8 Répondez aux questions suivantes avec des phrases complètes.

a Quel temps préférez-vous et pourquoi?
b Qu'est-ce qu'il y a à faire dans votre ville quand il fait froid?
c Qu'est-ce qu'il y a à faire dans votre ville quand il fait chaud?
d Quel temps a-t-il fait dans votre région la semaine dernière?
e Quel temps croyez-vous qu'il fera demain?
f Quel temps préférez-vous en vacances et pourquoi?

g Quel temps préférez-vous à Noël et pourquoi?
h Comment serait le climat dans votre pays idéal?
i Qu'est-ce qui se passe quand il y a trop de pluie dans un pays?
j Qu'est-ce qui se passe quand il y a trop de soleil dans un pays?

Les catastrophes

◖ Grammaire

Ayant Après avoir	**déménagé** ici, j'ai trouvé que . . .
	résolu le problème, il faudra . . .
	augmenté le tarif des parkings, les conseillers espèrent que . . .

En arriv**ant**,	j'ai été choqué de découvrir que . . .
En quitt**ant** le centre-ville,	il a remarqué qu'il y avait . . .
En mont**ant** dans le bus,	nous avons payé

◖ Niveau supérieur

9 Dans la liste qui suit, cherchez les dix mots ou phrases qui traitent des catastrophes. Utilisez votre dictionnaire pour vous aider.

le gazon   en grève   enlever   nier   un girasol   un nigaud   en ruines
une inondation   un typhon   une victime   la sécheresse
mourir   un volcan   une nappe de pétrole
une marée noire   un tremblement de terre

Une inondation en ville

10 En utilisant votre dictionnaire dressez une liste de dix autres mots ou phrases qui sont utiles lorsqu'on veut parler de catastrophes.

11 Reliez la catastrophe avec la description de la catastrophe.

une marée noire

l'effet de serre

la disparition des espèces rares

la pluie acide

la destruction des forêts

1 On coupe des arbres pour exporter le bois.

2 Cela se passe quand un pétrolier a un accident dans la mer.

3 L'homme chasse les animaux ou les tue avec des produits chimiques.

4 Quand il pleut, la pluie absorbe les produits chimiques qui sont dans l'atmosphère.

5 La Térre se réchauffe parce qu'il y a trop de carbone dans l'air.

12 Pour chacune des catastrophes de l'Exercice 11 écrivez au moins trois conséquences.

13 Enrichissez votre vocabulaire. Utilisez votre dictionnaire si nécessaire.

verbe	substantif	adjectif
?	la pluie	?
?	la destruction	?
?	la disparition	–
?	l'effet	?
?	un produit	?
chasser	?	–

14 Dans la lettre qui suit M. Bruguet se plaint des conditions dans sa ville. Il y a quinze verbes qui manquent. Choisissez le bon verbe pour chaque blanc.

Rofie, le 15 mai

Monsieur,

Ayant déménagé ici il y a trois mois après avoir _____ toute ma vie à la campagne, je voudrais vous dire à quel point je suis horrifié par les conditions que les habitants de notre ville _____ supporter chaque jour de leur vie.

Le problème qui nous menace le plus, c'est la pollution causée par les voitures, surtout en centre-ville. Pendant les heures de pointe, le matin et le soir, nos rues _____ encombrées et, en même temps, ce qui sort par les tuyaux d'échappement nous empoisonne lentement. Il me semble que la ville n'a absolument rien _____ pour résoudre ce problème, alors je _____ proposer des solutions.

Il _____ encourager les automobilistes à ne pas rouler en centre-ville. Comment? Il faut _____ les transports en commun qui desservent la ville. Actuellement les tarifs sont très élevés et la fréquence des autobus n'est pas satisfaisante. D'ailleurs, les voyages des quartiers lointains jusqu'au centre-ville _____ trop longtemps à cause des arrêts fréquents causés par le nombre de voitures.

Il faut donc construire des parkings à l'extérieur de la ville avec un service d'autobus gratuit jusqu'au centre. Des autobus électriques, de préférence, comme on en a utilisé dans d'autres villes. Un service très fréquent encouragerait les automobilistes à ne pas _____ dans le centre.

Cependant, même après ces changements il y _____ toujours ceux qui voudraient continuer à se rendre à leur travail en voiture. On _____ donc augmenter le tarif des parkings pour les décourager, ou même exiger une sorte de péage de ceux qui utilisent les rues dans le centre entre huit heures et dix-huit heures.

En plus, j'ai _____ choqué en arrivant ici de découvrir qu'il y avait une seule rue piétonne! Il faut en créer d'autres, car la pollution causée par les voitures commence à _____ les beaux arbres sur l'avenue qui mène au château. On devrait _____ l'avenue aux piétons. S'il y a plus de piétons dans ces rues, les commerçants en bénéficieront.

Je pourrais _____ aussi des accidents qui se sont passés, dont le dernier n'était qu'il y a trois jours. La voiture a pris trop d'importance. Est-ce que nous voulons la maîtriser ou est-ce que nous allons la laisser nous maîtriser?

Je supplie tous les lecteurs du journal de montrer leur soutien et de rendre notre centre-ville aux habitants.

L. Bruguet

améliorer	doivent	fait	passé	sont
aura	durent	faut	rendre	tuer
devrait	été	parler	rouler	voudrais

15 Enrichissez votre vocabulaire. Utilisez votre dictionnaire si nécessaire.

verbe	substantif	adjectif
déménager	**?**	–
?	un habitant	–
menacer	**?**	**?**
encombrer	**?**	–
empoisonner	**?**	–
résoudre	**?**	–
améliorer	**?**	–
?	**?**	satisfaisant(e)
construire	**?**	–
utiliser	**?**	**?**
augmenter	**?**	–
exiger	**?**	**?**
?	**?**	choqué(e)
découvrir	**?**	–
–	**?**	puissant(e)

Les caractéristiques du paysage

Niveau de base

16 Regardez la carte à la page suivante, puis reliez les mots dans la liste avec les numéros 1–10.

une colline	la mer
la côte	une montagne
une forêt	une vallée
une rivière	un village
un lac	une ville

17 Mettez les mots à droite dans la liste correcte. Consultez une encyclopédie si nécessaire.

montagne	fleuve/ rivière	lac

Léman

Seine

Puy de Dôme

Nil

Marne

Mont Blanc

Mont Cervin

St Laurent

Annecy

Loire

Le crime et la loi

● Niveau supérieur

18 Reliez la description d'un crime avec le mot ou la phrase qui convient.

1 On prend quelque chose sans demander la permission.
2 Donner des coups de poing à quelqu'un.
3 Donner la mort.
4 Avoir des relations sexuelles avec quelqu'un contre sa volonté.
5 Apporter des choses illégales dans un pays.
6 Vendre des drogues.
7 Prendre des narcotiques, par exemple.
8 Imiter frauduleusement.

se droguer
battre
contrefaire
trafiquer
tuer
violer
voler
passer en contrebande

19 Enrichissez votre vocabulaire. Utilisez votre dictionnaire si nécessaire.

verbe	substantif	adjectif
voler	?	?
battre	–	?
violer	?	?
tuer	?	–

20 Ci-dessous, il y a huit solutions aux crimes. Chaque solution est coupée en deux. Pouvez-vous relier les deux morceaux pour reconstituer la phrase?

3 | Les parents devraient surveiller . . .

1 | Il faut monter . . .

2 | Il faut punir . . .

4 | Les enfants de moins de seize ans ne devraient pas avoir . . .

5 | On devrait obliger . . .

7 | Les policiers devraient visiter . . .

6 | Le criminel devrait payer . . .

8 | Les trafiquants de drogues devraient recevoir . . .

a | . . . les écoles pour expliquer les conséquences d'une vie criminelle.

b | . . . leurs enfants avec plus d'attention.

c | . . . des punitions plus sévères.

d | . . . davantage de caméras de surveillance dans les magasins.

e | . . . le droit d'être dans la rue après neuf heures du soir.

f | . . . plus sévèrement les gens qui boivent au volant.

g | . . . un dédommagement à la victime.

h | . . . les jeunes criminels à travailler comme bénévoles pour la communauté.

Chapitre 9

Les courses et les services

Les courses

 Expressions utiles

la cabine d'essayage est là-bas

il y a un trou dans l'écharpe

je vous prie de me rembourser les frais du port

◗ Niveau de base

1 Dans la grille à droite trouvez vingt choses à manger ou à boire qui sont écrites horizontalement ou verticalement. Attention! Certains mots sont écrits à l'envers.

```
S E T T O C S I B N O V I N E
E S P A M P L E M O U S S E F
P O S E N B B L O B M A R I A
T E A R I O D N A M A N R T R
A U R U A E V I N A I G R E I
P F E T R U C R E J S L E D N
O I T I A L L A I G E L P R E
U R A F R T E B I S C U O A I
L A S N N O S U C R E R I T R
E M T O R N O R V I O P S U O
T U N O E R V I O P R A S O P
R L B E U R R E S T A R O M U
O E V E T S T R U O A X N N A
U S A N A N A B O E U G R I L
```

2 Reliez chaque objet dans la liste de gauche avec un magasin dans la boîte de droite pour en faire une phrase comme dans l'exemple. Utilisez votre dictionnaire si nécessaire.

Exemple: On peut acheter de l'agneau à la boucherie.

A la charcuterie

a	de l'agneau	
b	des allumettes	la boucherie
c	une baguette	
d	une boîte de sardines	la boulangerie
e	des croissants	
f	un journal	la boutique
g	une jupe	
h	un manteau	la charcuterie
i	du pâté maison	
j	une pommade	l'épicerie
k	du poulet	
l	du saucisson à l'ail	la papeterie
m	du savon	
n	du sparadrap	la pharmacie
o	un stylo	

3 Reliez la quantité dans la liste de gauche avec le mot dans la liste de droite qui convient.

a	une boîte		biscuits
b	une botte		cerises
c	une bouteille		confiture
d	une douzaine	de/d'	fromage
e	une grappe		gâteau
f	une livre		œufs
g	un morceau		radis
h	un paquet		raisins
i	un pot		thon
j	une tranche		vin

4 Dans chaque liste de quatre mots qui suit il y a un mot qui est différent des autres. Lequel, et pourquoi?

a baguette, croissant, jambon, pain au chocolat

b cerise, chou-fleur, pêche, poire

c cuisine, cuisinière, frigo, micro-ondes

d aspirine, pastille, sparadrap, tête

e asperge, légume, laitue, poireau

f lait, limonade, thé, vin

g crayon, gomme, magasin, stylo

h botte, chaussette, gant, parapluie

i allumette, carte postale, sucre, timbre

j boulangerie, charcuterie, pâtisserie, quincaillerie

5 Remettez les lettres dans l'ordre pour trouver les vêtements. Tous les mots sont dans l'ordre alphabétique.

a	neeuctir	f	ujep
b	ucaaehp	g	tuaenma
c	sehauucsr	h	alntpnao
d	hcemsei	i	eobr
e	eracatv	j	nvsteo

6 Ci-dessous, il y a un dialogue entre un client qui veut acheter un pantalon et un vendeur. Pouvez-vous remettre le dialogue dans le bon ordre?

a Oui, la cabine d'essayage est là-bas, à gauche.

b Oui. Vous avez quelle taille?

c Au revoir, Monsieur.

d C'est combien?

e (Deux minutes plus tard)

C'est un peu serré. Vous n'avez pas le même pantalon en 83?

f Bonjour. Oui. Je cherche un pantalon gris ou noir.

g Euh, 81, je pense.

h 325 francs, Monsieur.

i Non, Monsieur. Seulement en brun, mais pas en gris ou noir.

j Bonjour, Monsieur. Je peux vous aider?

k D'accord. Merci et au revoir.

l D'accord. Celui-ci en noir, peut-être?

m OK. Je peux l'essayer?

7 Maintenant écrivez un autre dialogue entre un client et un vendeur. Changez les détails, par exemple, le vêtement, la couleur, la taille et le prix.

🔴 Niveau supérieur

8 Le dernier jour de votre séjour en France vous avez acheté une écharpe en soie de très bonne qualité pour votre mère. Le lendemain, quand elle ouvre le paquet, elle découvre un trou dans l'écharpe.

Ci-dessous, il y a la lettre de réclamation que vous écrivez à la boutique, mais il y a des mots qui manquent. Choisissez le bon mot pour chaque blanc. Attention! Il y a quinze blancs mais vingt-cinq mots dans la liste.

Plymouth, le 20 août

Monsieur/Madame,

Je vous _____ pour me plaindre de la qualité d'un article _____ j'ai acheté hier dans votre boutique.

L'article en question est une écharpe en _____ (veuillez la trouver ci-incluse avec le _____), pour _____ j'ai payé 325 francs. Comme vous _____, il y a un petit trou au _____ de l'écharpe, ce qui veut dire que ma mère ne _____ pas la porter. Comme vous avez _____ l'écharpe dans le magasin et ma mère a _____ le trou en ouvrant le paquet, la responsabilité pour le _____ est _____ de la boutique. Je vous _____, donc, de m'envoyer une autre écharpe de la _____ couleur et, en plus, de me _____ les frais du port.

Je vous prie d'agréer, Monsieur/Madame, l'expression de mes sentiments les plus distingués.

Michael Collins

M. Michael Collins

celle	demande	laquelle	peux	rembourser
celui	écrire	lequel	porté	soie
dans	écris	même	que	veux
découvert	emballé	milieu	qui	voulez
défaut	emballer	peut	reçu	voyez

9 Maintenant écrivez encore une lettre de réclamation pour vous plaindre de quelque chose que vous avez acheté. Servez-vous du vocabulaire et des expressions dans l'Exercice 8. Ecrivez environ 150 mots.

Les objets perdus

Grammaire

Si vous **pouviez** me l'envoyer, Si vous le **trouviez**,	je **serais** reconnaissant(e) je **payerais** le timbre
Si je **perdais** mon portefeuille, Si je **trouvais** de l'argent dans la rue,	j'**irais** à la police

 Expressions utiles

dans le cas où vous ne le trouvez pas, . . .

Niveau de base

10 Voici des objets qui se trouvent au bureau des objets trouvés, mais les mots sont coupés en deux. Pouvez-vous remettre les deux parties ensemble?

Exemple: ar-gent

a	ar-	-nettes
b	ba-	-nts
c	br-	-sseport
d	cl-	-iquet
e	éc-	-lise
f	ga-	-harpe
g	im-	-c
h	lu-	-gue
i	mo-	-efs
j	pa-	-lo
k	pa-	-perméable
l	sa-	-gent
m	se-	-rapluie
n	va-	-ntre
o	vé-	-rviette

11 Voici une liste d'adjectifs qu'on peut employer pour décrire les objets perdus. Lisez la liste, puis mettez chaque mot dans la catégorie qui convient.

couleur	forme	matériel
bleu		

bleu   coton   rond   argent   or   bois   laine   carré

cuir   gris   jaune   brun   étroit   large

long   rectangulaire   noir   rouge   plastique   vert

12 Reliez chaque question avec la réponse qui convient le mieux.

1 Qu'est-ce que vous avez perdu?

2 C'est de quelle couleur?

3 Quelle en est la forme?

4 C'est en quoi?

5 Où l'avez-vous perdu?

6 Quand l'avez-vous perdu?

7 Qu'est-ce qu'il y a dedans?

8 Combien cela vaut-il?

a C'est en plastique.

b Il y a une heure.

c Cela vaut cinq cents francs.

d J'ai perdu mon sac.

e C'est un sac rectangulaire.

f Mes clefs, mon argent et mon passeport.

g C'est un sac bleu.

h Dans le jardin public.

13 A l'aide des renseignements de l'Exercice 12, copiez et remplissez la fiche ci-dessous.

NOM: ADRESSE:

. . . .

. . . .

OBJET PERDU:

. . . .

COULEUR: VALEUR:

. . . .

FORME: PERDU OÙ:

. . . .

MATÉRIEL: PERDU QUAND:

. . . .

DATE:................................. SIGNATURE:...............................

14 Imaginez que vous avez perdu quelque chose. En vous servant de la fiche de l'Exercice 13, remplissez tous les détails.

15 Maintenant, en vous servant de vos réponses de l'Exercice 14, donnez vos réponses aux questions de l'Exercice 12, 1–8.

● Niveau supérieur

16 Ci-dessous il y a une lettre qu'on a écrite pour réclamer un objet oublié dans un hôtel. Lisez la lettre avant de faire l'exercice qui suit.

Stonehaven, le 16 juillet

Monsieur/Madame

Après avoir passé une semaine dans votre hôtel, j'ai découvert, ce matin, que j'ai laissé un pullover dans la chambre.

Le pullover est rayé – bleu et gris – et en laine. Je crois que je l'ai laissé sur un cintre dans l'armoire de la chambre 112 ou peut-être dans le deuxième tiroir de la commode.

Je vous serais extrêmement reconnaissante si vous pouviez m'envoyer le pullover et je vous rembourserai les frais de port.

Dans le cas où vous ne le trouvez pas, pourriez-vous me le signaler par téléphone ou en m'écrivant?

Je vous remercie d'avance de votre attention et je vous prie d'agréer, Monsieur/Madame, l'expression de mes sentiments les plus distingués.

Catherine McShane

Mlle Catherine McShane

Ecrivez une lettre à quelqu'un en vous servant des détails suivants:

- boulangerie
- parapluie
- noir
- comptoir

17 Maintenant, rédigez une autre lettre dans laquelle vous décrivez un objet que vous avez perdu.

Les directions

Niveau de base

1 Remettez les lettres dans l'ordre pour trouver les endroits en ville. Tous les mots sont dans l'ordre alphabétique.

a thuâace

b sleigé

c raggae

d lithapô

e thelô

f emsue

g rapc

h iienpcs

i lapec

j trop

2 Reliez les deux morceaux de chaque expression ci-dessous pour reconstituer les endroits en ville.

Exemple: centre-ville

a centre-   aux poissons

b centre   commercial

c commissariat   de police

d gare   de sport

e jardin   de tourisme

f magasin   d'initiative

g marché   en plein air

h office   public

i piscine   routière

j syndicat   ville

3 Reliez chaque description avec l'endroit qui convient.

a   C'est au bord de la mer.
b   C'est une grande église.
c   C'est la grande maison d'une famille riche.
d   C'est le bâtiment où on trouve des antiquités.
e   On y va pour faire de la natation.
f   On y trouve des profs et des élèves.
g   On y regarde le football.
h   On y achète des timbres.
i   C'est là qu'on répare des voitures.
j   On y vend de l'aspirine.

Le musée du Louvre à Paris, où on trouve beaucoup d'antiquités

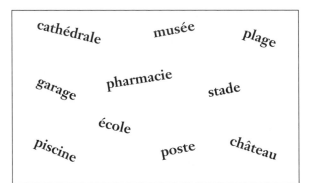

cathédrale   musée   plage

garage   pharmacie   stade

école

piscine   poste   château

La plage

4 Dans la grille ci-dessous trouvez quinze mots qui sont liés aux directions. Ils sont écrits horizontalement ou verticalement. Attention! Certains mots sont écrits à l'envers.

R	O	M	Z	D	R	G	A	U	T	R	A	V	E	R
D	P	I	E	D	O	Z	E	S	R	E	V	A	R	T
N	R	N	U	E	I	T	T	P	R	E	T	O	U	R
I	E	U	N	M	V	O	I	T	U	R	E	Z	E	N
T	M	T	I	K	I	L	O	M	E	T	R	E	S	B
N	I	E	T	T	L	O	R	M	E	T	E	N	V	E
O	E	S	N	R	O	K	D	I	L	R	N	R	O	H
C	R	I	O	O	M	L	O	I	N	A	E	U	I	C
I	E	E	C	I	C	O	N	T	O	V	R	O	T	U
O	K	M	E	E	M	E	I	S	I	O	R	T	P	A
R	D	E	U	X	I	E	B	C	U	A	G	N	E	G
D	P	R	E	M	D	E	U	X	I	E	M	E	R	G
Z	E	N	E	R	P	B	S	E	R	T	E	M	P	A

5 Mettez les mots/les expressions qui suivent dans la catégorie qui convient.

direction	endroit
droite	*eglise*

auberge de jeunesse

crémerie   deuxième

feu rouge

jardin public

gare routière   bureau de change

première   poste

mairie

carrefour   tabac

tournez   gauche   cathédrale

traversez   tout droit   prenez

La marie

6 Remplissez les blancs avec un mot qui convient.

Exemple: Pour aller à la gare?

a Pour _____ à la gare?

b Prenez la _____ rue à gauche.

c _____ tout droit.

d _____ aller au supermarché?

e _____la deuxième rue à droite.

f Prenez _____ troisième rue à gauche.

g C'est tout _____.

h _____ à droite.

i C'est _____ ?

j Ce n'est pas _____.

k Continuez _____ droit.

l Tournez à _____.

m _____ _____ à l'hôtel de ville?

n Prenez la deuxième rue _____ gauche.

o _____ loin?

7 Remettez les mots dans l'ordre pour reconstituer les phrases.

a (droite à tournez)

b (allez gare pour à la)

c (place traversez la rouge les feux et)

d (rue montez la)

e (jusqu'au continuez carrefour)

f (côté c'est de la à banque)

g (vous syndicat est face le d'initiative en de)

h (loin pas ce est n')

i (minutes cinq pied c' à est à)

j (gauche deuxième à prenez la rue)

8 Remplissez les blancs pour compléter les phrases suivantes.

a T _ _ _ _ _ z à g _ _ _ _ e.
b T _ _ _ _ _ _ _ z la r _ e.
c C _ _ _ _ _ _ _ z t _ _ t d _ _ _ t.
d C' _ _ t l _ _ n?
e P _ _ r a _ _ _ r à la b _ _ _ _ e?

9 Dans chaque liste de quatre mots ou expressions qui suit il y a un mot qui est différent des autres. Lequel, et pourquoi?

a première, deuxième, droite, troisième
b jardin public, piscine en plein air, marché, magasin de sport
c camping, hôtel, hôtel de ville, auberge de jeunesse
d tabac, pâtisserie, boulangerie, boucherie
e tournez, loin, continuez, prenez
f voiture, bus, pied, vélo
g deux minutes, cinq minutes, quelques minutes, cent mètres
h loin, près, là-bas, pied

10 Remettez les phrases dans l'ordre correct pour reconstituer les conversations.

a   C'est loin?

Prenez la deuxième rue à gauche.

Pour aller à la poste, s'il vous plaît?

C'est à trois minutes à pied.

b   Bonjour.

C'est loin?

Merci.

C'est à quatre minutes en voiture.

Pour aller au cinéma, s'il vous plaît?

Prenez la troisième rue à droite.

Bonjour.

11 Lisez les phrases ci-dessous et choisissez le mot correct.

a   La pâtisserie se trouve **dans/sur/sous** le supermarché.

b   Les voitures passent **dans/sous/sur** le pont.

c   Je nage **derrière/à côté de/dans** la piscine.

d   Le parking souterrain est **sur/sous/ devant** la mairie.

e   La bijouterie est **après/à côté de/dans** le carrefour.

f   L'arrêt d'autobus se trouve **dans/ devant/entre** le grand magasin.

g   On trouve le cinéma **devant/derrière/ entre** le théâtre et le tabac.

h   Le syndicat d'initiative, ce n'est pas à gauche de l'église mais à **derrière/ droite/devant**.

i   Vous continuez tout **droit/droite/ gauche**.

j   C'est sur votre **pied/gauche/droit**.

◗ **Niveau supérieur**

12 Ci-dessous, il y a une conversation basée sur le code à droite. Etudiez cette conversation, puis écrivez encore cinq conversations avec l'aide des codes.

	CODE
– Pour aller à la gare?	gare?
– Prenez la deuxième rue à gauche.	2 g
Continuez tout droit.	t d
C'est sur votre gauche.	sur g
– C'est loin?	loin?
– C'est à deux minutes à pied.	2 m p

a piscine?	*b* poste?	*c* port?
1 g	1 d	2 d
2 d	3 g	t d
sur g	sur d	sur g
loin?	loin?	loin?
10 m b	5 m p	3 m v

d cinéma?	*e* mairie?
t d	2 g
3 d	t d
sur d	sur d
loin?	loin?
4 m b	8 m p

13 Dans la lettre à la page 91 on décrit les directions pour se rendre à un appartement. Lisez-la et, ensuite, trouvez quels numéros sur le plan correspondent aux endroits et aux bâtiments que Monsieur Dibley croise sur son chemin.

Quimper, le 13 octobre

Cher Monsieur Dibley,

Je vous écris pour vous décrire comment arriver à l'appartement que vous louez du 10 au 25 novembre ici à Quimper. Comme vous m'avez dit que vous voyagez en train, je vous donne le chemin à suivre depuis la gare.

Alors, vous sortez de la gare (devant vous, vous verrez la place centrale), puis vous tournez à gauche. Vous continuez tout droit; à gauche il y a la poste puis le cinéma. Vous prenez la troisième rue à droite et passez devant le musée à droite. Au carrefour tournez à gauche et continuez jusqu'aux feux. Là, vous tournez à droite avant de traverser le pont. A droite il y a une banque et un tabac. Entre les deux se trouve la pâtisserie. A gauche il y a le stade et à côté, la piscine en plein air. Trois cents mètres après le tabac vous verrez un grand immeuble à droite. Notre immeuble est derrière cet immeuble à droite, au centre d'un espace vert.

L'appartement est situé au troisième étage (numéro 302) et il donne sur la ville. Comme je vous l'ai déjà indiqué, la clef est chez la voisine de gauche, Madame Flaubert.

Je vous souhaite "Bonnes Vacances"

Madame P. Dauvigny

14 Maintenant écrivez une lettre pour décrire comment arriver à L'Hôtel Napoléon, qui est situé sur la Place de la République, côté rue de Strasbourg. Utilisez le plan de Caen pour vous aider. Vous arrivez à la gare de Caen.

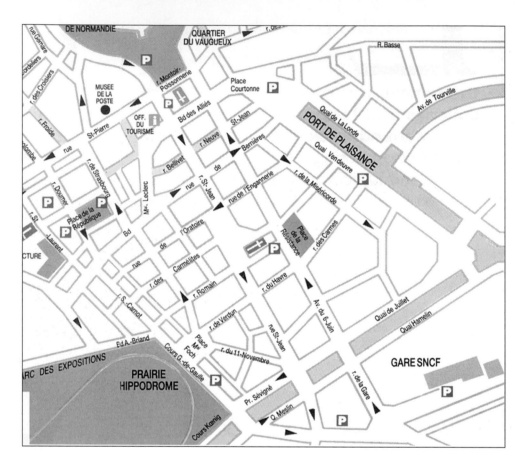

15 Ecrivez encore une lettre dans laquelle vous décrivez comment arriver chez vous à partir d'un autre endroit dans votre ville ou votre village. Vous devez essayer d'utiliser les mots suivants:

à côté	devant
après	droite
avant	entre
continuez	première
derrière	prenez

Chapitre 11

Le transport et les voyages

Les transports publics

🌑 Grammaire

J'arriver**ai** vers onze heures
Tu passer**as** par la douane
Le voyage durer**a** deux heures
Nous visiter**ons** la ville

Le train partir**a** du quai numéro trois

Tu prendr**as** le métro
Nous descendr**ons** du train à la Gare du Nord

J'**irai** dans les Alpes
Tu devr**as** passer par la douane
On se ver**ra** devant l'horloge
Nous ser**ons** à Paris avant vingt heures

On prendra le bateau

J'**ai voyagé** à Londres
On n'**a** pas **expliqué** la raison pour le retard
Nous **avons décidé** de prendre le train

Je **suis arrivé(e)** à Londres au début de l'après-midi
Le train **est parti** avec vingt minutes de retard
Nous **sommes montés** dans le train

◖ Niveau de base

1 Ci-dessous il y a cinq questions et réponses liées aux voyages en train. Reliez la question à la réponse qui convient le mieux.

1	A quelle heure part le train?	*a*	Deuxième.
2	De quel quai part-il?	*b*	Huit heures trente-neuf.
3	Le train est-il direct?	*c*	Numéro cinq.
4	Vous voulez un aller-simple?	*d*	Non, un aller-retour.
5	En quelle classe?	*e*	Non, il faut changer.

2 Voici une liste de vingt mots qui sont liés aux voyages (en train, en avion, en bateau et en voiture). Chaque mot est coupé en deux. Pouvez-vous remettre les deux parties ensemble?

Exemple: arr-êt

a	arr-	-arquer
b	att-	-chet
c	aut-	-seignements
d	com-	-verser
e	con-	-oroute
f	con-	-ane
g	cor-	-i
h	déb-	-oller
i	déc-	-êt
j	des-	-poster
k	dou-	-ard
l	emb-	-aire
m	gui-	-jet
n	hor-	-trôler
o	mon-	-cendre
p	qua-	-errir
q	ren-	-ter
r	ret-	-signe
s	tra-	-outeillage
t	tra-	-respondance

A la gare

3 Complétez les phrases ci-dessous en vous servant des mots de l'Exercice 2.

a | J'ai laissé mes bagages à la _____.

b | Le train est parti du _____ numéro deux.

c | Pendant le _____ j'ai lu et j'ai dormi.

d | Sur la route nationale il y avait un long _____.

e | L'avion devait _____ de Londres à huit heures, mais il y avait un problème technique.

f | Nous avons oublié de _____ nos billets avant de monter dans le train.

g | Mon père a consulté l'_____ pour savoir l'heure de départ.

h | A la _____, un monsieur a contrôlé tous les passeports.

i | Au lieu de prendre le Shuttle, nous avons décidé de _____ La Manche en bateau.

j | J'ai dû _____ du car à Tadoussac, mais j'ai continué jusqu'à Bergeronnes en taxi.

Niveau supérieur

4 Ci-dessous il y a un extrait d'une lettre de votre correspondant(e). Il/Elle décrit les détails de votre voyage de Dieppe jusqu'à Auxerre. En vous servant des renseignements dans la lettre, copiez et remplissez la grille qui suit.

Tu arriveras au port de Dieppe vers onze heures. Tu devras passer par la douane avant de prendre l'escalier roulant qui mène à la gare. Normalement, le train pour Paris part du quai numéro deux et il y a un train par heure. D'après l'horaire il y en a un à onze heures quarante. Le voyage jusqu'à la Gare St. Lazare durera deux heures et demie et tu seras à Paris juste après quatorze heures.

En arrivant à Paris tu devras prendre le métro puis le RER jusqu'à la Gare de Lyon. Le mieux serait de prendre la ligne 3 jusqu'à Havre Caumartin/Auber – c'est la station suivante – et de changer pour prendre le RER (la ligne rapide) jusqu'à la Gare de Lyon. C'est vraiment très simple – tu ne peux pas te tromper!

La Gare de Lyon est énorme et il y a beaucoup de quais, donc il faut que tu consultes l'horaire. Il y a deux trains par heure jusqu'à Auxerre, alors je t'attendrai à Auxerre à partir de seize heures trente. Le voyage dure environ une heure et demie.

On se verra devant l'horloge à côté de la sortie!

```
Arrivée à Dieppe: .......................................................
Départ de Dieppe: ....................................................
Quai numéro: ...........................................................
Arrivée à la Gare St. Lazare: .................................
Métro, ligne numéro: ...............................................
Métro jusqu'à: ..........................................................
RER jusqu'à: ............................................................
Durée du voyage Paris–Auxerre: ...........................
Lieu du rendez-vous: ...............................................
```

5   En vous servant de la grille ci-dessous, écrivez une description d'un voyage comme l'exemple dans l'Exercice 4.

Essayez de changer d'autres détails.

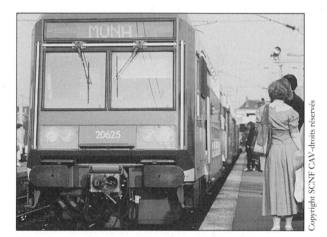

Le R.E.R.

```
Arrivée à Boulogne: .............. 8h35 ..................
Départ de Boulogne: .............. 9h50 ................
Quai numéro: .................. 3 ..........................
Arrivée à la Gare du Nord: .......... 13h05 ..........
Métro, ligne numéro: ................ 4 .................
Métro jusqu'à: ............ Montparnasse ...............
Durée du voyage Paris–La Baule: ...... 3 heures ......
Lieu du rendez-vous: ..... au bureau de renseignements
```

6 Ci-contre il y a une carte avec un itinéraire que vous allez suivre. Regardez la carte, puis lisez les vingt-cinq phrases qui suivent. Chaque phrase décrit une partie du voyage, mais elles ne sont pas dans l'ordre correct. Pouvez-vous les remettre dans l'ordre chronologique?

1 J'irai dans les Alpes et je passerai la nuit à Grenoble dans une auberge de jeunesse.

2 J'arriverai à Calais vers seize heures trente.

3 Je passerai quatre nuits dans un grand camping à Tours.

4 A Marseille je logerai chez des amis.

5 Je changerai de train à Wolverhampton.

6 Je resterai quatre nuits dans un petit hôtel à Paris.

7 Je partirai de la gare Victoria à midi.

8 Je prendrai le train en Alsace.

9 Après les quatre nuits je voyagerai en train jusqu'à Cherbourg.

10 J'arriverai à la Gare du Nord à Paris vers dix-neuf heures.

11 J'irai en direction nord-ouest, vers La Loire.

12 Je quitterai Codsall en train à huit heures du matin.

13 Je visiterai la région autour de Marseille – la Camargue, Aix-en-Provence et la mer.

14 Je prendrai le train rapide de Calais à Paris.

15 Dans l'auberge je mangerai la spécialité de la région, la choucroute.

16 Je prendrai le bateau de Douvres à quinze heures.

17 Je descendrai en Provence, vers Marseille.

18 Après Colmar je visiterai les vignobles dans la région.

19 Je visiterai tous les châteaux – Chenonceau, Chambord, Blois, etc.

20 J'arriverai à Douvres vers treize heures trente.

21 Je resterai une nuit à Strasbourg et une nuit à Colmar dans une auberge de jeunesse.

22 A Londres je prendrai le métro de Euston à Victoria.

23 Je retournerai à Colmar.

24 Je visiterai l'Arc de Triomphe, Eurodisney et les musées.

25 J'arriverai à Londres vers dix heures.

Je visiterai l'Arc de Triomphe

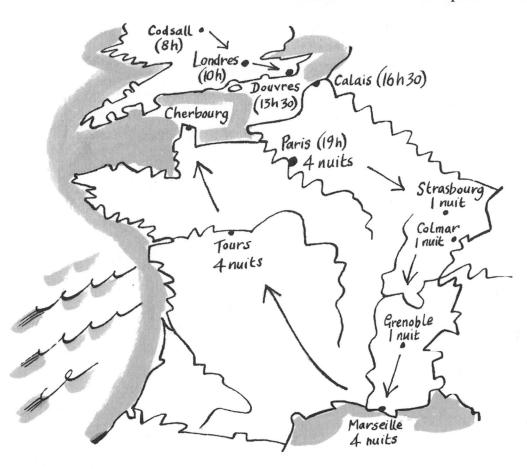

7 Maintenant vous êtes retourné(e) de votre séjour en France. En vous servant de la carte et des phrases ci-dessus, racontez les détails de votre voyage. Essayez d'utiliser les mots et les phrases ci-dessous pour relier les phrases. Ajoutez d'autres détails de votre choix.

après avoir quitté	en arrivant
après cela	ensuite
après les quatre jours	puis

8 Voici le récit d'un voyage difficile. Il y a des verbes qui manquent. Choisissez le bon mot pour chaque blanc.

Il y a quelques semaines, un ami et moi, nous avons décidé de _____ à Londres en train pour _____ des courses et pour voir une pièce de théâtre. Mais c'était le voyage jusqu'à Londres que je n'_____ jamais.

Nous sommes _____ dans le train, un rapide, vers sept heures quarante, mais nous avons _____ presque une demi-heure avant le départ du train! J'en _____ vraiment marre, car on n'a pas _____ la raison pour le retard. Finalement, le train est _____. Notre compartiment était plein. Il y _____ beaucoup de vieilles personnes qui bavardaient, _____ ou dormaient. Il faisait très chaud, mais on ne _____ pas ouvrir les fenêtres. Par conséquent, la chaleur _____ étouffante!

Au bout d'une heure, lorsque nous _____ à mi-chemin, le train s'est _____ soudain, en pleine campagne. On a _____ un problème avec la motrice. Tout le monde a grogné et _____. Il _____ encore plus chaud et les voyageurs commençaient à _____. Après une longue attente le train s'est _____ en route et nous sommes _____ à la capitale avec une heure de retard.

---

annoncé	avais	expliqué	montés	remis
arrêté	avait	faire	oublierai	s'énerver
arrivés	était	faisait	parti	soupiré
attendu	étions	lisaient	pouvait	voyager

9 Ci-dessous il y a des expressions tirées de l'Exercice 8. Au lieu d'utiliser les mots soulignés, essayez de trouver d'autres mots qui sont convenables dans le contexte, mais qui n'ont pas forcément le même sens.

Exemple: Il y a quelques semaines ... →
       Il y a trois jours ...

a   nous avons voyagé en train
b   ... pour voir une pièce de théâtre
c   vers sept heures quarante
d   j'en avais vraiment marre

e   ... des personnes qui bavardaient
f   il faisait très chaud
g   tout le monde a grogné

Les accidents

🌓 Niveau supérieur

10 Ci-dessous il y a une liste de vingt mots qui sont liés aux accidents. Chaque mot est coupé en deux. Pouvez-vous remettre les deux parties ensemble?

Exemple: ble-ssé

a	ble-	-bler
b	ble-	-glas
c	cal-	-rter
d	col-	-ler
e	con-	-ant
f	dér-	-ocycliste
g	dou-	-ssure
h	évi-	-oin
i	fre-	-ducteur
j	heu-	-ter
k	kla-	-n
l	mot-	-verser
m	mou-	-ssé
n	ren-	-iner
o	rou-	-illé
p	tém-	-esse
q	tra-	-er
r	ver-	-verser
s	vit-	-xonner
t	vol-	-aper

11 Maintenant mettez chaque mot de l'Exercice 10 dans la catégorie correcte. Utilisez votre dictionnaire si nécessaire.

verbe	substantif	adjectif

12 Lisez le récit d'un accident ci-dessous dans lequel il y a quinze blancs. Trouvez les mots qui manquent dans l'Exercice 10. Attention! Des fois il faut changer la forme du verbe et de l'adjectif.

Je me trouvais devant l'agence de voyages au _____ de la rue Zola et de l'avenue du Château vers midi. Tout d'un coup j'ai entendu le bruit de quelqu'un qui _____. Je me suis retourné et j'ai vu une Peugeot blanche qui venait de _____ sur la chaussée _____.

De l'autre côté de la rue il y avait un _____ qui _____ trop vite et qui essayait de _____ un autobus. Le _____ de l'autobus a _____ pour lui indiquer le danger devant lui. En plus, il y avait un garçon qui _____ la rue et qui ne pouvait pas voir le motocycliste. Ensuite, tout s'est passé très vite.

Le motocycliste n'a pas pu _____ le garçon et l'a _____. Comme il avait roulé à une _____ excessive (plus de quatre-vingt kilomètres à l'heure, je dirais), le garçon a été gravement _____ à la tête.

En même temps la Peugeot est entrée en collision avec l'arrêt d'autobus où il y avait une vieille dame. Heureusement, ni la vieille, ni la dame au _____ de la Peugeot n'ont été blessées.

13 Maintenant, en vous servant des idées de l'Exercice 12, écrivez le récit d'un accident dont vous avez été témoin. Ecrivez environ 150 mots.

Chapitre 12

Les projets pour l'avenir

🌑 Grammaire

Je ne **sais** pas	**parler** français
Isabelle **sait**	**conduire**
Nous **savons**	**nager**
Mes parents **savent**	**travailler** avec l'ordinateur

Je **m'intéresse**	**à**	ce poste
Il **s'intéresse**		une carrière comme photographe
Nous **nous intéressons**		un travail dans le commerce
Ils **s'intéressent**	**au** dessin	
	à la technologie	
	aux ordinateurs	

Expressions utiles

je m'entends mal avec les jeunes

je voudrais poser ma candidature

j'ai l'occasion de pratiquer mon français

je peux me débrouiller bien

🌑 Niveau de base

1 Dressez une liste de dix métiers.

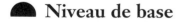

2 Lisez cette demande d'emploi, puis écrivez-en encore une pour vous-même. Changez les détails!

> JEUNE FILLE cherche travail comme ouvrière. Disponible le week-end. Sérieuse et sympa.
> Tél: 01.43.37.12.46 après 16 heures.

3 Quelles sont les qualités nécessaires pour un emploi? Trouvez au moins une qualité ou un trait pour chaque métier.

1	infirmière	*a*	doit aimer les enfants
2	professeur	*b*	doit avoir un permis de conduire
3	secrétaire	*c*	ne doit pas avoir peur des chiens
4	ouvrier	*d*	doit s'entraîner tous les jours
5	facteur	*e*	doit savoir utiliser un ordinateur
6	chauffeur de taxi	*f*	doit aimer le plein air
7	employé de banque	*g*	doit être fort
8	fermier	*h*	doit appliquer les lois
9	agent de police	*i*	doit être patiente
10	footballeur	*j*	doit être gentil et serviable avec les clients

Un facteur ne doit pas avoir peur des chiens

4 Ci-dessous il y a quinze personnes qui cherchent un emploi. A côté il y a un métier. Est-ce qu'il leur convient ou pas?

a Je m'entends bien avec les enfants.   (au pair)

b J'ai des difficultés avec la lecture. (professeur)

c J'adore les voitures.   (mécanicien)

d J'ai horreur du sang.   (infirmière)

e Je mesure un mètre cinquante.   (agent de police)

f Je parle le français et le russe.   (hôtesse de l'air)

g Je ne sais pas conduire.   (chauffeur)

h Je suis expert en maladies d'animaux.   (vétérinaire)

i J'aime voyager.   (homme d'affaires)

j Je suis nul en maths.   (caissier)

k Je déteste le combat.   (soldat)

l J'ai peur des flammes.   (pompier)

m Je ne suis pas faible.   (porteur)

n Je suis végétarien.   (boucher)

o Je n'ai pas envie de rester au lit le matin.   (fermier)

5 Des deux personnes qui cherchent chaque poste, laquelle choisissez-vous?

1 **au pair**
a Je travaille dans un club de jeunes.
b Je travaille dans une banque.

2 **caissier**
a Je travaille comme danseur.
b Je travaille comme employé de banque.

3 **facteur**
a Je collectionne les timbres.
b Je ne sais pas lire.

4 **médecin**
a Je suis nul en biologie.
b Je me débrouille bien en biologie.

5 **professeur**
a J'ai un diplôme en éducation.
b Je n'ai rien appris à l'école.

6 **agent de police**
a Je suis voleur.
b Je respecte les lois.

7 **vendeuse**
a Je m'entends bien avec les clients.
b Je me dispute avec tous.

8 **fermier**
a J'aime travailler en plein air.
b Je travaille dans un bureau.

9 **garde d'enfants**
a Je suis d'une famille nombreuse.
b Je suis fille unique.

10 **surveillant de plage**
a Je sais nager.
b J'ai peur de l'eau.

6 Reliez le métier avec la définition qui convient le mieux.

a   a une carrière assez courte
b   doit continuer à travailler même après avoir quitté le lieu de travail
c   doit se lever très tôt le matin
d   doit toujours faire la même chose
e   doit toujours sourire et rester calme
f   passe beaucoup de temps en plein air
g   risque sa vie pour sauver la vie des autres
h   voyage beaucoup

boulanger	**hôtesse de l'air**
pompier	**professeur**
pompiste	**fermier**
chauffeur	**joueur de football**

Comme boulanger il faut se lever très tôt le matin

7 Lisez chacune des phrases ci-dessous et décidez si elle décrit quelque chose de positif ou de négatif.

a   J'ai du mal à me lever le matin.
b   J'ai voyagé partout en Europe.
c   Je ne comprends rien à l'anglais.
d   Je m'entends mal avec les jeunes.
e   Je suis toujours professionnel.
f   Je fais de mon mieux.
g   Je porte des vêtements sales au bureau.
h   J'arrive au travail à l'heure.
i   Je parle bien les langues vivantes.
j   Je suis souvent malade.
k   Je me comporte comme il faut.
l   Je ne fais que le minimum de travail.

Je suis toujours professionnelle

◖ Niveau supérieur

8 Choisissez cinq métiers et, pour chacun, donnez trois raisons pour lesquelles vous voudriez ou ne voudriez pas faire ce travail.

Exemple: Professeur: On doit travailler le soir et le week-end.

9 Marc voudrait travailler en France dans un hôtel pendant les grandes vacances. Dans certaines phrases de sa lettre vous devez choisir le(s) mot(s) correct(s).

Monsieur Leclerc
Hôtel la Fontaine
Avenue Balzac
94000 Vincennes

Southampton, le 14 mars

Cher Monsieur Leclerc,

Ayant vu votre annonce dans la revue *Vacances d'été* pour des serveurs dans le restaurant de votre hôtel, je voudrais **pose/posé/poser** ma candidature pour un de ces postes.

J'ai seize ans et **depuis/pendant/pour** six mois je travaille le week-end comme garçon dans le restaurant d'un grand hôtel ici à Southampton. L'hôtel s'appelle "The Royal" et mon **employée/employer/employeur** s'appelle Mr Bernard Simmonds. Quelquefois, j'ai l'occasion de **pratique/pratiqué/pratiquer** mon français avec les clients français et ceux des pays francophones. En plus, **j'ai étudié/j'étudiais/j'étudie** l'allemand au collège depuis trois ans, donc je peux me débrouiller assez **bien/bon/bonne** en allemand. J'étudie le français depuis l'âge de dix ans et mon niveau est assez élevé, surtout à l'oral. Je suis assez sérieux et responsable et je m'entends bien avec les personnes de **tous/tout/toutes** les âges.

Je voudrais vous **demander/mettre/poser** des questions sur le travail. Combien d'heures est-ce que je **travaillais/travaille/travaillerais** par semaine? Est-ce que j'aurais une journée de libre? Combien est-ce que je gagnerais et recevrais-je mon salaire à la fin du mois ou chaque semaine? **Quelle/Quelles/Quels** sont les conditions de travail? Est-ce que je serais logé et nourri?

Je m'intéresse à ce poste parce que je pense que j'ai les qualités qu'il faut et, en plus, je voudrais perfectionner mon français. Comme j'ai l'intention de faire un diplôme en hôtellerie l'année prochaine, le poste me donnerait l'expérience nécessaire.

Dans l'attente d'une réponse favorable, je vous prie d'agréer, Monsieur, l'expression de mes sentiments distingués.

MKShearer

Marc Shearer

Je travaille le week-end comme garçon

10 Relisez la lettre et trouvez les mots qui sont définis ci-dessous.

    a   le magazine
    b   de temps en temps
    c   là où on parle français
    d   haut
    e   j'ai de bons rapports avec
    f   un jour de congé
    g   nécessaires
    h   améliorer

11 Vous voulez travailler à un parc d'attractions en France pendant les vacances. En vous servant de la lettre de l'Exercice 9 écrivez une lettre qui contient les renseignements suivants:

- des détails personnels
- ce que vous voulez comme travail
- des questions sur les heures et les jours de travail, ainsi que le salaire
- votre expérience
- pourquoi vous voulez ce poste
- pourquoi vous croyez que vous êtes le/la plus capable pour le poste.

12 La Chambre de Commerce organise un concours pour les élèves de quatorze à seize ans en Grande-Bretagne. Il faut écrire un article d'environ 150 mots dans lequel vous décrivez votre travail idéal. Il faut:

- incorporer les détails d'une journée typique
- expliquer pourquoi vous avez choisi ce travail.

Mon petit boulot et mon stage en entreprise

Grammaire

Je **viens de** terminer mon stage
Elle **vient d'**écrire ses impressions de la journée
Nous **venons de** trouver un petit boulot

Expressions utiles

le travail me plaisait

mon prof d'orientation est très gentil

Niveau de base

1 Ci-dessous il y a une liste de petits boulots coupée en deux. Pouvez-vous relier les deux parties?

a	je distribue	au marché
b	je fais	dans un restaurant
c	je fais	du babysitting
d	je fais	la vaisselle
e	je lave	la voiture
f	je promène	le chien
g	je repasse	le gazon
h	je sers	les courses
i	je tonds	les journaux
j	je travaille	les vêtements

J'ai donné des renseignements sur les maisons à vendre

2 Les élèves d'un collège décrivent ce qu'ils ont fait pendant leur stage en entreprise. Pouvez-vous relier chaque définition avec le travail qui convient?

a   J'ai aidé à fabriquer les meubles.
b   J'ai aidé les clients à choisir leurs vacances.
c   J'ai aidé les petits avec la lecture.
d   J'ai classé les documents.
e   J'ai donné des renseignements sur les maisons à vendre.
f   J'ai écrit des reportages pour le journal local.
g   J'ai réparé les fuites d'eau.
h   J'ai réparé les voitures.
i   J'ai soigné les animaux malades.
j   J'ai soigné les malades.
k   J'ai tapissé le salon d'une maison.
l   J'ai tondu le gazon dans un parc.
m   J'ai travaillé à la caisse dans un supermarché.
n   J'ai travaillé avec les ordinateurs.
o   J'ai vendu des vêtements dans un grand magasin.

J'ai travaillé avec les ordinateurs

jardinier   agent immobilier

plombier

mécanicien

vendeur   programmeuse

vétérinaire

caissière   professeur

employé de bureau

menuisier

journaliste   peintre

agent de voyages   infirmière

J'ai travaillé dans un supermarché

3 Dans la grille ci-dessous trouvez les quinze lieux de travail où on pourrait faire un stage en entreprise. Les mots sont écrits horizontalement ou verticalement. Attention! Certains mots sont écrits à l'envers.

```
I B I J O U T E R I E U O K Y
F H S A F E R M E A L E T O H
Y O U E P L C O U T H N I N O
E P P N C O A H O P T I T A T
I I E I R C B E R C E S I R E
R T R C E E I R E H C U O B G
E A B S C M N C E R C C A U N
M L P I H E E U E R L E R E
R F I P E R T G Q C E U P E R
A R S E R I E N N L B O A A C
D E I C E H C R A M R E P U S
N M N R C B O U B P A T I S S
E E E A U I E I R E T E P A P
G E S P O A I R K N A B E R I
B I N M B O U K K E R I E M E
```

4 Ci-dessous il y a deux listes. Reliez le lieu de travail de la liste à gauche avec l'objet qui convient de la liste à droite.

1	banque	*a*	boucles d'oreille
2	bijouterie	*b*	cahiers
3	boucherie	*c*	chambres
4	bureau	*d*	eau
5	cabinet	*e*	guichet
6	crèche	*f*	jouets
7	école	*g*	lits
8	ferme	*h*	machines
9	gendarmerie	*i*	médicaments
10	hôpital	*j*	ordinateurs
11	hôtel	*k*	pistolets
12	papeterie	*l*	produits surgelés
13	piscine	*m*	stylos
14	supermarché	*n*	vaches
15	usine	*o*	viande

🔵 Niveau supérieur

5 Lisez la lettre de Laura au sujet de son stage en entreprise, puis décidez quel participe passé il faut mettre dans chaque blanc. Vous trouverez une liste des participes passés à la page suivante.

Welshpool, le 2 juillet

Chère Ann,

Les grandes vacances s'approchent et je viens de terminer mon stage en entreprise, qui a duré deux semaines. C'était génial, vraiment merveilleux!

Comme je t'ai _____ dans ma dernière lettre en mars, j'ai _____ d'être vétérinaire, alors je dois obtenir de très bons résultats à mon baccalauréat dans trois ans. Alors le professeur d'orientation, Madame Davies, m'a placée dans le cabinet des vétérinaires ici à Welshpool. Tu peux imaginer ma joie! Bon, je vais te raconter comment les choses se sont déroulées.

Tout d'abord, Monsieur Watton et Monsieur Priest, les deux vétérinaires, ont _____ très gentils. Je n'ai pas _____ opérer sur les animaux, bien sûr, mais ils m'ont expliqué exactement ce qu'ils faisaient et ils m'ont _____ un peu de chaque animal qu'ils traitaient, ce que j'ai _____ fascinant.

Chaque jour Monsieur Priest (qui est très jeune et très beau) a _____ le cabinet aux clients à neuf heures, mais lui-même arrive toujours à huit heures pour faire son travail administratif et pour se préparer pour l'arrivée des animaux. Il m'a _____ d'arriver à huit heures trente pour me parler de la journée précédente et pour me donner l'occasion de lui poser des questions. En plus, il m'a parlé des études de vétérinaire à l'université.

Tous les après-midi j'ai _____ quelques heures dans la salle d'attente à parler avec les gens pour connaître un peu les problèmes de leurs animaux - pour la plupart des chats et des chiens. Comme j'ai mon propre chien, un épagneul, je me suis _____ surtout des chiens. Qu'est-ce qu'ils avaient comme maladies? Quelques-uns étaient trop gras parce que leurs maîtres ou leurs maîtresses leur donnaient trop de sucreries! Une belle petite chienne de neuf mois refusait de manger et on a dû faire piquer un vieil épagneul aveugle de dix-sept ans qui souffrait beaucoup. Le pauvre! Je n'oublierai jamais l'expression de son regard.

Tous les soirs j'ai _____ écrire mes impressions de la journée - une sorte de cahier personnel. Comme le travail me plaisait énormément, j'ai _____ beaucoup dans le cahier. Aussi, j'ai préparé les questions que je voulais poser à Monsieur Priest le lendemain.

Maintenant, j'ai hâte de terminer mes études à l'école pour pouvoir commencer les études supérieures à la faculté. Est-ce que les élèves français doivent aussi faire un stage en entreprise? Qu'est-ce que tu voudrais faire après l'école, toi?

Raconte-moi tout dans ta prochaine lettre.

Grosses bises,

Laura

décidé	dit	écrit	occupée	parlé	pu
demandé	dû	été	ouvert	passé	trouvé

6 Maintenant répondez aux questions suivantes. Ecrivez des phrases complètes.

a Est-ce que Laura a fait son stage il y a longtemps?

b Est-ce qu'il est facile de devenir vétérinaire?

c Comment est-ce que Laura a réagi lorsque Madame Davies l'a placée chez les vétérinaires à Welshpool?

d Pourquoi ne pouvait-elle pas opérer sur les animaux?

e Qu'est-ce qu'elle a fait entre huit heures trente et neuf heures?

f Quelle est l'attitude de Laura envers les chiens?

7   Dressez deux listes d'adjectifs – une qui est positive, l'autre qui est négative – pour décrire les personnes avec qui vous avez travaillé pendant votre stage en entreprise.

Exemple:

positif	négatif
gentil	*impatient*

8   Dressez une liste (au passé composé) de tâches que vous avez dû faire pendant votre stage en entreprise. Utilisez votre dictionnaire si nécessaire.

Exemple: J'ai nettoyé les étagères.

9   Ecrivez une lettre à votre correspondant(e) dans laquelle vous décrivez votre stage. Il faut incorporer les éléments suivants:

- **Introduction:** ce que vous avez fait et où
- **Le premier jour:** vos réactions
- **Le travail:** les collègues; un résumé des tâches
- **Conclusions:** vos opinions; une expérience utile pour l'avenir?

Les vacances

Le syndicat d'initiative

🌑 Grammaire

J'ai Nous **avons** Mes grand-parents **ont**	l'intention	de	**visiter** la région **prendre** le train **louer** une voiture **venir** en août
Je **propose** Nous **proposons** Mes grand-parents **proposent**		d'	aller en Italie

Pourriez-vous	m'**envoyer** un plan nous **renseigner** sur les distractions **donner** des détails me **dire** si . . .

📓 Expressions utiles

je voudrais des renseignements sur
la région

. . . des renseignements sur les alentours

. . . y compris une carte

quelles sont les heures d'ouverture

pourriez-vous m'envoyer une liste des
autobus qui desservent la ville

⬤ Niveau de base

1 Claude écrit une lettre à un syndicat d'initiative. Lisez-la, puis faites les exercices qui suivent.

Nîmes, le 17 mars

Monsieur/Madame,

J'ai l'intention de visiter <u>Montréal</u> avec ma famille au mois d'<u>août</u>.
Pourriez-vous m'envoyer un plan de la ville, une liste des <u>restaurants</u> et des dépliants sur les <u>distractions</u>.
Je vous remercie d'avance.

Claude Vaillant

Remplissez les blancs dans les phrases suivantes en vous servant de la lettre ci-dessus.

a   Claude a l'intention de visiter _____.
b   Il demande un _____ de la ville, une liste des _____ et aussi des _____ sur les distractions.

2 Utilisez la lettre de l'Exercice 1 pour vous aider à remettre les mots dans l'ordre correct.

a   (vous envoyer pourriez m')

b   (distractions sur dépliants les des)

c   (d' vous je avance remercie)

d   (ai visiter de l' Montréal j' intention)

e   (de plan ville la un)

3 Relisez la lettre de l'Exercice 1, puis écrivez une autre lettre, tout en remplaçant les mots soulignés avec les mots suivants:

hôtels Québec musées mai

4 Vous voudriez des renseignements sur une ville que vous allez visiter. Écrivez une lettre d'environ 40 mots au syndicat d'initiative.

Niveau supérieur

5 Lisez la lettre au syndicat ci-dessous avant de faire l'exercice qui suit.

Hull, le 14 février

Monsieur

J'ai l'intention de passer mes vacances d'été en France avec ma famille. Nous voulons faire du camping à Boulogne pendant quelques jours.

Je vous serais très reconnaissante si vous pouviez m'envoyer des renseignements sur la ville et les alentours, y compris une carte de la région. Quelles distractions peut-on trouver dans la ville? En particulier, je voudrais savoir s'il y a une piscine en plein air. Quelles sont les heures d'ouverture, les tarifs, etc.?

Nous voudrions utiliser les transports publics. Pourriez-vous m'envoyer l'horaire des autobus qui desservent la ville? Nous proposons de voyager en vélo aussi. Peut-on louer des bicyclettes à Boulogne? Autrement, existe-t-il la possibilité de faire des visites guidées en car?

Veuillez accepter, Monsieur, l'expression de mes sentiments distingués.

Flo Wood.

Le port à Boulogne

Trouvez le mot ou l'expression dans la lettre qui correspond aux mots et aux expressions ci-dessous. Attention! Ils ne sont pas dans l'ordre correct.

a je voudrais

b mes grandes vacances

c nous aimerions

d obligée

e la région

f surtout

g j'aimerais

h les prix

i voyagent dans

j nous avons l'intention de

6 Enrichissez votre vocabulaire. Utilisez votre dictionnaire si nécessaire.

verbe	substantif	adjectif
?	des renseignements	–
?	?	reconnaissant(e)
?	les distractions	–
?	l'ouverture	?
?	les transports	–
utiliser	?	?
proposer	?	–
voyager	?	–
louer	?	–
–	une possibilité	?

7 Maintenant écrivez une lettre d'environ 100 mots à un syndicat, basée sur la lettre à la page 118, et en vous servant des idées suivantes:

- Vous allez en vacances avec qui et où?
- Vous voulez louer une voiture.
- Vous voulez savoir les heures d'ouverture des magasins.
- Vous voulez avoir des renseignements sur les sports nautiques.
- Vous voulez savoir s'il y a des équipements pour les personnes âgées ou handicappées.
- Vous avez besoin d'une banque et d'une laverie automatique.

L'hôtel

 Grammaire

| J'ai
Il **a**
Nous **avons** | **besoin** | **de** | chambres au rez-de-chaussée
repas végétariens
parking privé |
| | | **d'** | une douche
une chambre avec grand lit
un garage souterrain |

| J'**espère**
Nous **espérons**
Mes parents **espèrent** | **arriver** vers dix-huit heures
manger à l'hôtel
faire des promenades dans la région |

◗ Niveau de base

8 Lisez la lettre ci-dessous à un hôtel avant de faire les exercices qui suivent.

Anvers, le 3 mars

Monsieur/Madame,

Je vous écris pour réserver deux chambres pour sept nuits, du 28 juillet du 4 août.

J'ai besoin d'une chambre avec un grand lit pour mes parents et une chambre avec deux lits – les deux chambres avec douche.

Nous prenons le petit déjeuner et le dîner à l'hôtel. Est-ce qu'il y a un parking ou un garage souterrain? Veuillez me confirmer la réservation, s'il vous plaît.

Je vous remercie d'avance.

Marcel Bardouil

Remplissez les blancs dans les phrases suivantes en vous servant de la lettre ci-dessus.

a   Marcel veut réserver deux _____.

b   Il arrive le _____.

c   Il part le _____.

d   Il veut réserver une chambre avec _____ lits.

e   Il veut savoir s'il y a un _____ ou un _____ à l'hôtel.

9 Utilisez la lettre de l'Exercice 8 pour vous aider à remettre les mots dans l'ordre correct.

a (déjeuner petit nous le prenons)

c (parking ce il a est- y qu' un?)

b (vous pour chambres je deux écris réserver)

10 Remettez les lettres des mots suivants dans l'ordre pour trouver les mots qui se trouvent dans la lettre de l'Exercice 8.

a srveeérr
b utsni
c gpnkari
d herambc
e fcrmenori
f hoecud

11 Vous allez en vacances. Ecrivez une lettre basée sur la lettre de la page 121 en vous servant des idées suivantes:

- Vous voyagez avec votre copine ou copain et sa famille.
- Vous restez dix nuits, du 14/8 au 24/8.
- Vous voulez une chambre à deux lits avec salle de bains et une chambre avec grand lit et balcon.
- Vous prenez seulement le petit déjeuner.

Le camping

 Expressions utiles

il faut payer des arrhes

Niveau de base

12 Sarah va faire du camping avec sa famille. Lisez sa lettre à un camping avant de faire les exercices qui suivent.

Evesham, le 28 février

Monsieur/Madame,

Nous avons l'intention de passer deux semaines à St. Raphaël cet été.

Avez-vous un emplacement de libre pour une caravane (deux adultes et trois enfants) pour la période du 25 juin jusqu'au 10 juillet? C'est combien par nuit en tout?

Est-ce qu'il y a un restaurant au camping? Y a-t-il des douches? Le camping ferme à quelle heure le soir? Est-ce qu'il faut payer des arrhes?

Je vous remercie d'avance.

Sarah Gilbey

Dans la lettre ci-dessous certains mots sont à la mauvaise place. Remettez-les à leur place.

Aberystwyth, le 2 avril

Monsieur/Madame,

J'ai l'intention de **payer** deux **douches** dans le Limousin cet été.

Avez-vous un **restaurant** de libre pour la **caravane** du 14 au 26 **période**? C'est pour une **nuit** (deux adultes et trois **semaines**). C'est combien par **juillet**?

Est-ce qu'il y a un **emplacement** au camping ou près du camping? Y a-t-il des **enfants** ou seulement des lavabos? Faut-il **passer** des arrhes?

Je vous remercie d'avance.

Nigel Watson

13 Remplissez les blancs dans les phrases suivantes en vous servant des idées des lettres des pages 123 et 124.

a Le camping _____ à quelle heure?

b Je voudrais un _____ pour une tente.

c Nous sommes deux _____ et trois enfants.

d Nous voulons rester deux _____, du 11 au 25 août.

e Il y a des _____ chaudes?

14 Voici une liste de mots. Lesquels sont des verbes et lesquels sont des substantifs? Dressez deux listes. Utilisez votre dictionnaire si nécessaire.

> **avez emplacement enfants est ferme heure intention passer semaine tente**

Le gîte

◖ Grammaire

J'ai essayé Mon père **a essayé** Nous **avons essayé** Marc et Thomas **ont essayé**	**de**	**réparer** la télévision **contacter** un plombier **téléphoner** au propriétaire

J'ai dû Nous **avons dû** Mes parents **ont dû**	**travailler** dans le jardin **tolérer** des inconvénients **prendre** une douche froide

Expressions utiles

je vous écris pour me plaindre

lors de notre séjour . . .

ce qui était encore pire, c'était . . .

le jardin, ou plutôt la jungle

◖ Niveau de base

15 Lisez cette lettre au propriétaire d'un gîte, puis faites l'exercice qui suit.

Lausanne, le 13 novembre

Monsieur/Madame,

Nous vous écrivons pour louer votre gîte pour la période du 27 juin au 11 juillet.

Nous sommes cinq personnes – deux adultes et trois enfants âgés de quinze, douze et sept ans.

Nous espérons arriver vers dix-huit heures samedi, le 27 juin. Est-ce que la maison sera ouverte? Est-ce qu'il y aura quelque chose à manger? Est-ce qu'il y a des magasins – une boucherie, une boulangerie ou un petit supermarché – près du gîte?

Nous vous prions d'agréer, Monsieur/Madame, l'assurance de nos sentiments les plus distingués.

Jean-Paul Bourg

Dressez une liste de 10 objets que vous espérez trouver dans votre gîte. Pour chacun écrivez le nom de la pièce.

Exemple:

objet	pièce
une cuisinière	*la cuisine*

16 Ecrivez un message pour le propriétaire du gîte le jour de votre départ. Répondez aux quatre questions ci-dessous dans votre message, tout en utilisant les phrases qui suivent. Plusieurs réponses sont possibles.

- Quelles ont été vos impressions sur le gîte?
- Où sont les clefs de la maison?
- Il y avait deux problèmes. Lesquels? (2 réponses)
- Qu'est-ce que votre famille a fait pour laisser la maison en bon état?

a (Les clefs sont chez les voisins en face.)

b (Nous avons lavé les draps.)

c (Il y avait une mauvaise odeur dans la petite chambre.)

d (La maison était très confortable.)

e (On a réparé l'aspirateur.)

f (Nous avons passé un séjour très agréable.)

g (Le chien à côté était très bruyant.)

h (Nous avons rendu les clefs à Madame Dufour.)

i (On a tondu le gazon.)

j (On a eu des difficultés avec le chauffage.)

k (Le gîte nous a beaucoup plu.)

l (Malheureusement, le frigo ne marchait pas bien.)

m (On a laissé les clefs sur le buffet.)

🌑 Niveau supérieur

17 Lisez cette lettre de réclamation au propriétaire d'un gîte. Remplissez les blancs en vous servant de la liste de mots qui suit. Attention! Il y a vingt mots mais seulement dix blancs.

Witney, le 26 juillet

Monsieur/Madame

Je vous écris pour me plaindre de certains défauts _____ nous avons remarqués, ma famille et moi, lors de notre séjour dans votre gîte entre le 5 et le 9 juillet.

Tout d'abord, _____ votre brochure vous avez mentionné l'eau _____ et dans la salle de bains et dans la cuisine. Pendant les deux semaines il n'y en _____ pas. Mon père a essayé de contacter un plombier, mais en vain. _____ les plombiers de la région étaient en vacances. Nous avons dû nous _____ à l'eau froide et, ce qui était encore pire, faire la vaisselle sans eau chaude.

Deuxièmement, la télévision dans le salon ne fonctionnait pas. Nous _____ regarder les films et, bien _____, les informations, mais c'était impossible. Pourquoi est-ce que vous n'aviez pas réparé la télévision avant notre arrivée?

Enfin, le jardin, ou plutôt la jungle. Nous avions eu l'intention de nous faire bronzer dans le _____ (décrit comme un "paradis" dans la brochure), mais l'herbe poussait si haut que nous ne pouvions pas nous reposer dans le jardin.

A cause de ces problèmes, nos vacances ont été gâchées. Mes parents vous demandent donc de nous rembourser une partie de l'argent que nous avons _____. Nous avons des amis qui veulent louer votre gîte à Pâques, mais après notre expérience, nous allons leur demander de chercher un autre gîte.

Je vous prie d'agréer, Monsieur/Madame, l'expression de mes sentiments les plus distingués.

Graham Webster

Graham Webster

acheté	dans	jardin	que	tous
avait	en	lavé	qui	tout
chaud	était	laver	sur	voulions
chaude	grenier	payé	sûr	voulons

18 Relisez la lettre ci-dessus, puis trouvez les mots ou les expressions qui sont définis ci-dessous.

a   pendant
b   premièrement
c   mon père a fait un effort de
d   étaient en congé
e   nous étions obligés de
f   sans succès
g   ne marchait pas
h   souhaitent
i   qu'il nous était impossible de
j   rendre

19 En vous servant de la lettre de la page 118, remplissez les blancs avec un mot ou une expression qui convient. Attention! Le mot ou l'expression dont vous aurez besoin n'est pas forcément dans la lettre.

a   La famille Webster se plaint de _____ problèmes.

b   La famille a passé _____ au gîte.

c   La _____ indiquait qu'il y avait de l'eau chaude dans la maison.

d   Le père n'a pas réussi à _____ un plombier.

e   La famille n'a pas _____ regarder la télévision.

f   Le _____ n'avait pas réparé la télévision.

g   La famille voulait se _____ dans le jardin, mais cela était _____.

h   Graham Webster demande au propriétaire de _____ une partie de l'argent.

i   Dans l'ensemble, Graham Webster est très _____ de la situation.

20 Enrichissez votre vocabulaire. Utilisez votre dictionnaire si nécessaire.

verbe	substantif
se plaindre	?
?	un séjour
essayer	?
réparer	?
?	l'arrivée
décrire	?
demander	?
rembourser	?
louer	?

21 Dans la lettre de l'Exercice 17, trois problèmes sont mentionnés. Dressez une liste d'autres problèmes qui pourraient arriver dans un gîte. Pouvez-vous en trouver une dizaine?

22 Imaginez que vous avez passé deux semaines dans un gîte et que vous avez rencontré beaucoup de problèmes. Racontez votre expérience dans une lettre au propriétaire. Ecrivez environ 150 mots.

Les vacances en général

🌗 Grammaire

J'**ai assisté** On **a assisté** Mes amis **ont assisté**	**à**	un concert un spectacle une boum
	au match **à la** visite guidée **aux** feux d'artifice	

J'ai Il aura Nous avons eu	**beaucoup de**	temps libre chance repas délicieux
J'ai fait Ma sœur fera Mon petit ami a fait	**beaucoup d'**	excursions équitation

J'ai On a Elles ont eu	**assez de**	place temps choses à manger
	assez d'	argent inconvénients

⬤ Niveau de base

23 Lisez la carte postale ci-dessous, puis copiez la grille qui suit et remplissez les blancs.

Cher Michel,

Me voici à Cassis avec ma famille dans un camping. Il fait beau et chaud. Chaque jour je vais à la piscine et je joue au tennis. Le soir, je regarde la télé ou je vais à la discothèque.

Bisous,

Selina

Michel Ahmel
7 rue de la Paix
33095 Bordeaux

1	**Où?**		
2	**Qui?**		
3	**Temps?**		
4	**Activités du jour?**		
5	**Activités du soir?**		

24 Ecrivez une autre carte postale en vous
servant des renseignements ci-dessous.

1	**Où?**	*Nice*	*dans un gîte*
2	**Qui?**	*moi*	*mes amis*
3	**Temps?**	*soleil*	*chaud*
4	**Activités du jour?**	*plage*	*nage*
5	**Activités du soir?**	*lis*	*danse*

Chaque jour je joue au tennis

25 Ci-dessous il y a une liste d'expressions qu'on peut employer pour décrire soit les activités, soit le temps, soit le logement soit le transport. Lisez la liste, puis mettez chaque expression dans la catégorie qui convient.

Exemple:

activité	temps	logement	transport
vais à la plage			

il fait chaud vais à la plage dans un camping écoute de la musique il neige

il fait du vent en bateau en train il fait froid en avion

joue aux cartes en voiture dans un hôtel

vais au centre sportif il fait mauvais fais une promenade fais les magasins

chez des amis dans une auberge

regarde la télé dans un gîte vais au cinéma

il fait froid il pleut me fais bronzer fais de la voile il fait de l'orage en car

⬤ Niveau supérieur

26 Dans la lettre ci-dessous Daniella décrit ses vacances. Servez-vous de la lettre pour faire l'exercice qui suit.

St Ives, le 15 septembre

Chère Christelle

Comment vas-tu ? Tu m'as demandé ce que j'ai fait pendant les vacances scolaires. Bon, je te raconte.

Cet été je suis allée en vacances avec ma famille. Nous avons passé deux semaines dans un gîte à La Rochelle. Nous avons voyagé en voiture et en bateau. La Rochelle est une jolie ville au bord de la mer. Derrière la ville il y a une forêt où on peut faire des randonnées pédestres.

Dans la région il y avait beaucoup de choses à voir et à visiter. On a visité des monuments historiques et assisté aux spectacles. C'est une région très pittoresque avec des collines, des rivières, de la campagne et de petits villages.

Les premiers jours je me suis reposée – j'ai nagé, je me suis fait bronzer et le soir je suis allée danser dans les discothèques. J'ai fait les magasins avec ma mère. Je voulais acheter beaucoup de cadeaux, mais je n'ai pas eu assez d'argent.

L'année dernière, je suis allée en vacances avec une copine dans une tente. Nous avons passé une semaine à Londres. J'ai préféré mes vacances en France. Une semaine, c'est trop court et aussi, sans voiture, comme à Londres, on ne voit pas beaucoup de choses. Il a plu tous les jours en Angleterre et puis, sous la pluie, une tente n'est pas très confortable ! En France j'ai pu pratiquer mon français – ce qui a plu à ma mère.

Et toi ? Comment as-tu passé tes vacances ? Écris-moi bientôt !

Bisous   Daniella.

Trouvez les mots dans la lettre qui correspondent aux définitions suivantes.

a   j'ai voyagé
b   une quinzaine
c   une maison à louer
d   des promenades à pied
e   vieux bâtiments
f   je n'ai pas fait grand-chose
g   j'ai fait de la natation
h   il m'a manqué de
u   n'est pas assez long
j   ce qu'a apprécié ma mère

27 Maintenant, c'est à vous d'écrire une lettre au sujet de vos dernières vacances. Utilisez les idées ci-dessous pour vous aider. Ecrivez environ 150 mots.

- Où? (pays, région, ville/village, situation)
- Logement? (hôtel, etc., équipements)
- Combien de temps?
- Avec qui?
- Activités du jour, du soir?
- Temps?
- Spectacles, monuments?
- Comparaison avec d'autres vacances? Préférences, avec raisons.

Chapitre 15

Les questions du jour

 Expressions utiles

un toxicomane a besoin de la drogue

un toxicomane s'adonne à la drogue

on ne peut pas constater les effets de la drogue

il est défendu de fournir la drogue

les attentats nous choquent

le taux de criminalité monte

on voudrait empêcher le terrorisme

sans argent on doit se priver des petits luxes

les parents doivent être au courant des activités des enfants

Le chômage est un grand problème aujourd'hui

◖ Niveau supérieur

1 Lisez les douze phrases ci-dessous, puis, dans la liste qui suit, choisissez le mot ou l'expression qui convient le mieux pour chaque blanc. Attention! Quelquefois il faut changer la forme du mot ou de l'expression.

a Si quelqu'un veut absolument prendre la drogue, on ne peut pas l'_____ de le faire.

b Il est très difficile pour un drogué de _____ ce dont il a besoin.

c Ceux qui ne réussissent pas à obtenir un travail _____ de problèmes financiers.

d Les gens _____ quelque chose sans s'en rendre compte.

e Le gouvernement devrait _____ le nombre de postes dans le secteur public.

f Grâce à la presse nous sommes plus _____ attentats partout dans le monde.

g Les enfants des parents qui se droguent sont souvent _____.

h Si les terroristes se rendaient compte de _____ de la vie humaine, ils réfléchiraient avant d'agir.

i Si on pouvait _____ un emploi à tout le monde, ce serait un état idéal.

j Le taux de criminalité est souvent _____ la consommation de la drogue.

k En Thaïlande, les trafiquants de drogues risquent _____.

l La dépression peut être l'un _____ du chômage.

au courant de   fournir   augmenter

les effets à long terme   s'adonner à   souffrir

empêcher

lié à

se priver de   maltraiter   la peine de mort   la valeur

2 Ci-dessous il y a des points de vue qui se rapportent à quatre problèmes actuels:

LE CHOMAGE

LE TERRORISME

LE RACISME

LA DROGUE

Pouvez-vous relier les vingt phrases aux quatre problèmes? Utilisez votre dictionnaire si nécessaire.

1 Il faut augmenter la surveillance dans tous les lieux publics.

2 Les vacances passées dans d'autres pays aident à la compréhension d'autres cultures.

3 Il est très difficile de l'empêcher, car les attaques peuvent se passer à n'importe quel moment.

4 On dit que jusqu'à trente-cinq pourcent des jeunes l'ont essayée avant l'âge de seize ans.

5 C'est surtout le développement de la technologie qui a renforcé le problème.

6 Il ne faut jamais oublier combien les Juifs ont souffert pendant la Deuxième Guerre Mondiale.

7 Devoir dépendre de l'état pour survivre est une situation désagréable.

8 C'est souvent lié à un objectif politique.

9 On peut s'y adonner très facilement.

10 Les victimes sont souvent les passants innocents.

11 On est obligé de se priver des petits luxes de la vie.

12 Aucun groupe ethnique n'a plus de valeur qu'un autre.

13 On ne peut pas toujours constater quels sont les effets à long terme.

14 L'avenir pour ceux qui n'ont pas de qualifications n'est pas très gai.

15 Si on enseigne la tolérance aux enfants, ils auront plutôt tendance à respecter les étrangers quand ils deviendront adultes.

16 Il faut que les policiers fassent l'effort de découvrir qui fournit le produit aux consommateurs.

17 Même ceux qui ont toujours pensé que leur poste était stable ont peur de l'avenir.

18 Souvent les parents ne sont pas au courant de ce que font leurs enfants.

19 On devrait réintroduire la peine de mort pour ceux qui tuent.

20 Il faut punir sévèrement ceux qui maltraitent les autres à cause de la couleur de leur peau.

3 Maintenant choisissez le problème actuel qui vous intéresse le plus. Ecrivez votre point de vue en vous servant du vocabulaire dans les phrases et de la liste qui suit. Ecrivez environ 150 mots.

à mon avis. . . .

ce que je n'accepte pas, c'est . . .

ce que je trouve, c'est que . . .

certains pensent que . . .

comment peut-on résoudre . . . ?

d'abord, . . .

en revanche, . . .

en somme, . . .

il faut dire que . . .

la chose la plus importante, c'est que . . .

. . . me dégoûte

pourtant . . .

Lexique

a

à cause de *because of*
à côté de *next to*
à l'heure *on time*
à mi-chemin *half-way*
à part *apart from*
à partir de *from*
à point *medium done (meat)*
accompagner *to accompany*
un achat *purchase*
acheter *to buy*
actuellement *at the moment*
s'adonner à *to become addicted to*
une addition *bill*
âgé(e) *old*
une agence de voyage *travel agent's*
agir *to act*
un agneau *lamb*
aider *to help*
l'ail (m) *garlic*
ailleurs *elsewhere*
aimable *likeable*
aimer *to like*
aîné(e) *older*
ainsi que *as well as*
l'air (m) **(en plein air)** *air (in the open air)*
l'alimentation (f) *food*
l'allemand (m) *German*
aller *to go*
un aller-retour *return ticket*
un aller-simple *single ticket*
une allumette *match*
alors *so*
une ambiance *atmosphere*
améliorer *to improve*
un(e) ami(e) *friend*
amicalement *yours, yours sincerely*
amitiés *yours, yours sincerely*
s'amuser *to have a good time*
ancien(ne) *old, former*
anglais(e) *English*
une année *year*
un anniversaire *birthday*
l'appel (m) *registration*
s'appeler *to be called*

apporter *to bring*
apprendre *to learn*
après *after*
un après-midi *afternoon*
un arbre *tree*
l'argent (m) *money, silver*
l'argent de poche *pocket money*
une armoire *wardrobe*
un arrêt *stop (for bus, etc.)*
arrêter *to stop*
les arrhes (f pl) *deposit*
l'asperge (f) *asparagus*
un aspirateur *hoover*
assaisonner *to season (food)*
s'asseoir *to sit down*
assez *quite, enough*
une assiette *plate*
assister à *to attend, be present at*
attendre *to wait for*
un attentat *attack*
une attente *wait*
atterrir *to land (aeroplane)*
attirer *to attract*
une auberge de jeunesse *youth hostel*
augmenter *to increase*
aujourd'hui *today*
auprès de *with, amongst*
aussi *also, as well*
aussi . . . que *as . . . as*
autant que *as much as*
(en) automne (m) *(in) autumn*
une autoroute *motorway*
autre *other*
autrement *apart from that*
aux alentours *in the surrounding area*
(à l')avance (f) *(in) advance*
avant *before*
avant-hier *day before yesterday*
avec *with*
l'avenir (m) *future*
aveugle *blind*
un avion *aeroplane*
un avis *opinion*
avoir *to have*
avoir besoin de *to need*
avoir du mal à *to have difficulty in*

avoir envie de *to want to*
avoir faim *to be hungry*
avoir l'occasion de *to have the chance to*
avoir mal *to have a pain*
avoir peur de *to be afraid of*
avoir raison *to be right*
avoir soif *to be thirsty*
avoir tort *to be wrong*

b

le baccalauréat *French equivalent of A level*
les bagages (m) *luggage*
une bague *ring*
une bande dessinée *cartoon*
la banlieue *suburb*
un bateau *boat*
battre *to hit*
bavarder *to chat*
un bâtiment *building*
beau, belle *beautiful*
beaucoup de/d' *lots of*
le beurre *butter*
un(e) bénévole *volunteer*
bête *stupid*
bien cuit *well cooked (meat)*
bien sûr *of course*
le bien-être *well-being*
bientôt *soon*
une bijouterie *jeweller's*
un billet d'absence *absence note*
une bise *kiss*
bisous *love (ending a letter)*
blanc(he) *white*
blesser *to injure*
une blessure *injury*
bleu(e) *blue*
le blé *wheat*
le bœuf *beef*
boire *to drink*
le bois *wood*
une boisson *drink*
une boîte *box, tin*
bon(ne) *good*

le bord *edge*
au bord de *at the edge, side of*
une botte *bunch (of radishes)*
la bouche *mouth*
un boucher *butcher*
une boucherie *butcher's*
les boucles d'oreille (f pl) *earrings*
bouffer *to eat (slang)*
une boulangerie *baker's*
un boulot *job (slang)*
une boum *party*
bourguignon(ne) *from Burgundy*
le bout *the end*
au bout de *at the end of*
une bouteille *bottle*
la Bretagne *Brittany*
un briquet *lighter*
se bronzer *to sunbathe*
se brosser les dents *to brush one's teeth*
le brouillard *fog*
un bruit *noise*
brun(e) *brown*
bruyant(e) *noisy*
un buffet *sideboard*
un bureau *study, office, desk*

c

ça suffit *that's enough*
une cabine d'essayage *changing room*
un cabinet *surgery*
les cacahuètes (f) *peanuts*
un cachet *tablet, pill*
un cadeau *present, gift*
un cahier *exercise book*
la caisse *cash desk*
un(e) caissier(-ière) *cashier*
caler *to stall*
un camion *lorry*
la campagne *country(side)*
un canapé *sofa, settee*
un car *coach*
car *for, because*
un carrefour *crossroads*
carré(e) *square*
une carte *card, map of region or country*
un casse-croûte *snack*
casser *to break*
ce, cet, cette; ces *this, that; these, those*
une ceinture *belt*
cela *that*
celui, celle; ceux, celles *the one; the ones*
un centre (en plein centre) *centre (at the very centre)*

un centre commercial *shopping centre*
le centre-ville *town centre*
cependant *however*
une cerise *cherry*
une chaise *chair*
la chaleur *heat*
une chambre *bedroom*
un champ *field*
un championnat *league championship*
un changement *change*
un(e) chanteur(-euse) *singer*
un chapeau *hat*
chaque *each, every*
une charcuterie *(pork) butcher's*
chasser *to hunt*
un chat *cat*
chaud *hot*
le chauffage *heating*
un chauffeur de taxi *taxi driver*
une chaussette *sock*
la chaussée *roadway*
une chaussure *shoe*
chauve *bald*
un château *castle*
une chemise *shirt*
cher, chère *dear, expensive*
chercher *to look for*
un cheval *horse*
les cheveux (m pl) *hair*
chez moi/nous *at my/our house*
un chien *dog*
la chimie *chemistry*
chimique *chemical*
les chips (m) *crisps*
choisir *to choose*
un choix *choice*
le chômage *unemployment*
choquer *to shock*
une chose *thing*
le chou-fleur *cauliflower*
la choucroute *pickled cabbage*
un cintre *coat-hanger*
citer *to quote*
classer *to file*
une clé, clef *key*
un cochon *pig*
un coin *corner*
coincé(e) *trapped, jammed*
un collège *lower secondary school*
la colère (en colère) *anger (angry)*
une colline *hill*
combien *how many, how much*
comme *as, like*
comme il faut *as one should*
commencer *to begin*
comment *how, what like*
le commerce *business studies*
un(e) commerçant(e) *shopkeeper*
le commissariat de police *police station*
une commode *chest of drawers*

une comparaison *comparison*
composter *to date-stamp (a ticket)*
se comporter *to behave*
comprendre *to understand*
compter *to count, intend to*
un comptoir *counter*
un concours *competition*
un(e) conducteur(-trice) *driver*
conduire *to drive*
la confiture *jam*
connaître *to know*
connu(e) *well-known*
un conseil *piece of advice*
conseiller *to advise*
(par) conséquent *(as a) result*
la consigne *left luggage office*
un(e) consommateur(-trice) *consumer*
la consommation *use, consumption*
constater *to ascertain*
construire *to construct*
contenir *to contain*
contre *against*
contrefaire *to forge*
un contrôle *test (school)*
contrôler *to check*
convenable *suitable*
un copain, une copine *friend*
le coq au vin *chicken in red wine sauce*
une correspondance *connection (transport)*
un(e) correspondant(e) *pen-friend*
la côte *coast*
se coucher *to go to bed*
une couleur *colour*
un couloir *corridor*
un coup de poing *punch*
couper *to cut*
au courant *up-to-date*
au cours de *during*
courir *to run*
un cours *lesson*
les courses *shopping*
court(e) *short*
coûter *to cost*
une coutume *custom, habit*
une cravate *tie*
un crayon *pencil*
crevé(e) *very tired (slang)*
créer *to create*
une crémerie *dairy*
crier *to shout*
croire *to believe, think*
un croque-monsieur *cheese and ham toastie*
les crudités (f pl) *raw vegetables, salad*
le cuir *leather*
une cuisine *kitchen*
cuisiner *to cook*
une cuisinière *cooker*
cultiver *to grow*

d

d'abord *first of all*
d'accord *OK*
d'ailleurs *besides, moreover*
dans *in*
dans l'ensemble *on the whole*
dans le cas où *in case*
davantage *more*
débarquer *to get off (a boat)*
débarrasser *to clear; to get rid of*
se débrouiller *to manage (in a situation)*
un début *beginning*
décoller *to take off (aeroplane)*
décourager *to discourage*
découvrir *to discover*
décrire *to describe*
déçu(e) *disappointed*
dedans *inside*
un dédommagement *compensation*
un défaut *fault (in a person)*
défendu(e) *forbidden*
dégoûter *to disgust*
déjà *already*
le déjeuner *lunch*
demain *tomorrow*
demander *to ask*
se demander *to wonder*
déménager *to move house*
un déménagement *house move*
une demi-heure *half an hour*
une dent *tooth*
au départ (m) *at the beginning*
dépendre de *to depend on*
dépenser *to spend (money)*
un dépliant *leaflet*
déprimant(e) *depressing*
déprimé(e) *depressed*
depuis *for, since*
déraper *to skid*
se dérouler *to be set, take place*
dernier(-ère) *last*
derrière *behind*
dès le début *from the beginning*
descendre *to get off, out of (a vehicle)*
désolé(e) *sorry*
desservir *to serve (public transport)*
le dessin *art, picture*
devant *in front of*
devenir *to become*
deviner *to guess*
devoir *to have to*
les devoirs (m pl) *homework*
difficile *difficult*
dimanche *Sunday*
dîner *to have dinner, to dine*
le dîner *evening meal*
un diplôme *degree, qualification, certificate*
dire *to say*

discuter *to discuss*
la disparition *disappearance*
disponible *available*
un disque *record*
les distractions (f) *things to do (entertainment)*
un doigt *finger*
donc *therefore*
donner *to give*
donner à manger à *to feed*
donner sur *to look out onto*
dont *whose, of whom, of which*
dormir *to sleep*
le dos *back*
la douane *customs*
doublé(e) *dubbed*
doubler *to overtake*
une douche *shower*
une douleur *pain*
un drap *sheet*
une drogue *drug*
se droguer *to take drugs*
un droit *right*
drôle *funny*
du tout *at all*
durer *to last*

e

l'eau (f) *water*
un échange *exchange*
une écharpe *scarf*
les échecs (m pl) *chess*
une école *school*
écouter *to listen to*
écrire *to write*
effectuer *to carry out*
l'effet (m) **de serre** *greenhouse effect*
une église *church*
égoïste *selfish*
élevé(e) *high*
un(e) élève *pupil*
emballer *to wrap up*
embêtant(e) *annoying*
un embouteillage *traffic jam*
une émission *TV programme*
empêcher *to prevent*
un emplacement *pitch (on camp site)*
un emploi *job*
un emploi du temps *timetable*
un(e) employé(e) de bureau *office worker*
empoisonner *to poison*
encombré(e) *jammed*
un endroit *place*
énerver *to annoy*
s'énerver *to get annoyed*
un(e) enfant *child*

enlever *to take off, lift off*
l'ennui (m) *boredom*
(les) ennuis *problems*
s'ennuyer *to be bored*
ennuyeux(-euse) *boring*
énorme *enormous*
enseigner *to teach*
ensemble *together*
ensuite *then, next*
entendre *to hear*
s'entendre avec *to get on with*
s'entraîner *to train*
entre *between*
entrer dans *to enter, go into*
environ *about, approximately*
envoyer *to send*
un épagneul *spaniel*
épais(se) *thick*
une épaule *shoulder*
une épicerie *grocer's*
une équipe *team*
l'équitation (f) *horse riding*
un escalier roulant *escalator*
un escargot *snail*
l'escrime (f) *fencing*
un espace *area/space*
une espèce rare *rare species*
espérer *to hope*
un espoir *hope*
essayer de *to try to*
un estomac *stomach*
une étable *cowshed*
un étage *floor*
une étagère *shelf*
l'état (m) **(en bon état)** *state (in good condition)*
(en) été (m) *(in) summer*
étouffant(e) *stifling*
étranger(-ère) *foreign*
un étranger, une étrangère *foreigner, stranger*
être *to be*
être d'accord avec *to agree with*
être de retour *to be back again*
étroit(e) *narrow, tight*
les études (f) *studies*
étudier *to study*
éviter *to avoid*
excuse-moi *sorry*
exigeant(e) *demanding*
exiger *to demand*
expliquer *to explain*
un extrait *extract*
extraverti(e) *outgoing*

f

fabriquer *to make, produce*
fâché(e) *angry*

facile *easy*
un facteur *postman*
une façon *way, manner*
fade *tasteless*
faible *weak*
faire *to make, do*
faire de l'escrime *to fence*
faire de son mieux *to do one's best*
faire des économies *to save*
faire des jeux *to play games*
faire du jardinage *to do the gardening*
faire du lèche-vitrine *to window shop*
faire du vent *to be windy*
faire la connaissance de *to get to know*
faire la cuisine *to cook*
faire la vaisselle *to wash up*
faire les achats *to shop*
faire les courses *to do the shopping*
faire partie de *to be part of, belong to*
faire piquer *to put to sleep (of animals)*
faire venir l'eau à la bouche *to make one's mouth water*
un fait *fact*
une famille (nombreuse) *(large) family*
fatigué(e) *tired*
un fauteuil *armchair*
une fenêtre *window*
une ferme *farm*
fermer *to close*
un fermier *farmer*
une fête *festival, celebration*
un feu rouge *traffic light*
une feuille de publicité *flyer (publicity material)*
une fiche *sheet, form*
fier (fière) *proud*
une fille unique *only daughter*
un fils unique *only son*
finir *to finish*
une fleur *flower*
un fleuve *river*
une fois *time, occasion*
formidable *great*
fort(e) *strong, good (at)*
fournir *to provide*
les frais (m) de port *postage*
une fraise *strawberry*
une framboise *raspberry*
francophone *French-speaking*
le français *French*
frapper *to hit, strike*
freiner *to brake*
un frère *brother*
un frigo *fridge*
froid(e) *cold*
le fromage *cheese*
une fuite d'eau *leak*
fumer *to smoke*

gagner *to win, earn*
un gant *glove*
une garde d'enfants *child-minder*
garder son lit *to stay in bed*
une gare *station*
une gare routière *bus station*
gauche *left*
un gazon *lawn*
une gendarmerie *police station*
un genou *knee*
les gens (m pl) *people*
gentil(le) *kind, nice*
un girasol *sunflower*
une gomme *rubber*
la gorge *throat*
grâce à *thanks to*
grand(e) *big*
un grand magasin *department store*
une grand-mère *grandmother*
un grand-père *grandfather*
une grappe *bunch (of grapes)*
gras(se) *fat*
un gratte-ciel *skyscraper*
gratuit(e) *free of charge*
gravement *seriously*
grec, grecque *Greek*
un grenier *attic*
une grève *strike*
une grippe *influenza*
gris(e) *grey*
grogner *to groan, moan*
une guerre *war*
un guichet *ticket office*

un(e) habitant(e) *inhabitant*
habiter *to live*
une habitude *habit*
le hand *handball*
haut (en haut) *high (upstairs; at the top)*
l'herbe (f) *grass*
l'heure (de départ) *(departure) time*
les heures de pointe *rush hours*
heureusement *fortunately*
heureux(-euse) *happy*
heurter *to collide*
hier *yesterday*
l'histoire (f) *history, story*
(en) hiver (m) *(in) winter*
un homme d'affaires *businessman*
honnête *honest*
un horaire *timetable*
une horloge *clock (public)*
un hors-d'œuvre *starter*
une hôtesse de l'air *air hostess*
(de bonne/mauvaise) humeur (f) *(in a good/bad) mood*

ici *here*
il fait beau *it is fine*
il faut *it is necessary to*
il me semble que *it seems to me that*
il pleut *it is raining*
il y a *there is/are; ago*
il y avait du monde *there were lots of people*
un immeuble *building, block of flats*
un imperméable *raincoat*
impoli(e) *impolite*
incroyable *unbelievable*
une infirmière *nurse*
les informations (f pl) *news (on TV)*
l'informatique (m) *I.T.*
une inondation *flood*
inoubliable *unforgettable*
s'inquiéter *to worry*
interdit(e) *forbidden*

j'ai hâte de *I can't wait to*
j'en avais marre *I'd had enough*
jaloux(-ouse) *jealous*
une jambe *leg*
le jambon *ham*
le jambon persillé *ham in parsley*
un jardin *garden*
jaune *yellow*
un jeu *game*
jeudi *Thursday*
les jeunes *young people*
la joie *joy*
joli(e) *pretty*
jouer *to play*
jouer aux cartes *to play cards*
jouer aux échecs *to play chess*
un jouet *toy*
un jour de congé *day off*
un journal *newspaper, diary*
une journée *day*
un Juif, une Juive *Jew*
une jupe *skirt*
jusqu'à *until, up to*
juste *fair*

klaxonner *to sound the horn*

un lac *lake*
la laine *wool*
laisser *to let, leave*
laisser tomber *to drop*

le lait *milk*
une laitue *lettuce*
une langue *language, tongue*
une langue vivante *modern language*
large *big, broad, wide*
un lavabo *wash-hand basin*
laver *to wash*
une laverie automatique *launderette*
là-bas *over there*
un lecteur *reader*
la lecture *reading*
le lendemain *following day*
lentement *slowly*
une lettre de réclamation *letter of complaint*
un légume *vegetable*
se lever *to get up*
libre *free*
une librairie *bookshop*
lié(e) à *linked to*
un lieu *place*
au lieu de *instead of*
lire *to read*
un lit *bed*
un livre *book*
une livre *pound*
un livre d'occasion *second-hand book*
loger *to stay*
une loi *law*
loin *far*
lointain *outlying*
longtemps *a long time*
lors de *at the time of, during*
lorsque *when*
louer *to hire, rent*
lourd(e) *heavy*
lundi *Monday*
les lunettes (f pl) *spectacles*
un lycée *upper secondary school*

m

un magasin *shop*
un magasin de presse *newsagent's*
un magnétoscope *video-recorder*
maigrir *to lose weight*
maintenant *now*
une mairie *town hall*
mais *but*
une maison *house*
un maître, une maîtresse *master, mistress*
le maître d'hôtel *head waiter*
maîtriser *to master*
mal *badly*
mal traité(e) *badly treated*
malade *ill*
une maladie *illness*
malgré *despite*

malheureusement *unfortunately*
la Manche *the English Channel*
manger *to eat*
un manque *lack*
manquer *to be missing*
un manteau *coat*
marcher *to walk; to be working*
un marché *market*
mardi *Tuesday*
une marée noire *oil slick*
une matière *school subject*
mars *March*
un matin *morning*
mauvais *bad*
un mec *guy*
méchant(e) *bad, naughty*
un médecin *doctor*
un médicament *medication*
le (la) meilleur(e) *the best*
mélanger *to mix*
même *even*
même si *even if*
menacer *to threaten*
mener *to lead*
un menton *chin*
un menuisier *joiner*
la mer *sea*
mercredi *Wednesday*
une mère *mother*
merveilleux(-euse) *marvellous*
la météo *weather forecast*
un métier *job*
un metteur en scène *producer, director*
mettre *to put*
les meubles (m) *furniture*
un(e) meurtrier(-ière) *murderer*
un micro-ondes *microwave*
midi (m) *midday*
le milieu *middle*
minuit (m) *midnight*
un miroir *mirror*
le mi-trimestre *half-term*
la mode *fashion*
moi-même *myself*
moins *less*
le moins *the least*
au moins *at least*
un mois *month*
une moitié *half*
mon, ma, mes *my*
le monde *world*
une montagne *mountain*
monter *to put up, erect, to get on (a vehicle)*
monter une pièce *to put on a play*
une montre *watch*
montrer *to show*
se montrer *to show oneself, prove oneself*
un morceau *piece, slice*

un mot *word*
une motrice *locomotive*
mouillé(e) *wet*
mourir *to die*
la moutarde *mustard*
un mouton *sheep*
un mur *wall*
un musée *museum*

n

nager *to swim*
une naissance *birth*
une nappe de pétrole *layer of oil*
la natation *swimming*
ne . . . aucun *no (before noun)*
ne . . . jamais *never*
ne . . . pas *not*
ne . . . personne *nobody*
ne . . . plus *no more, no longer*
ne . . . que *only*
ne . . . rien *nothing*
la neige *snow*
nettoyer *to clean*
ni . . . ni *neither . . . nor*
nier *to deny*
un nigaud *simpleton*
n'importe quel(le)(s) *any*
un niveau *level*
Noël *Christmas*
noir(e) *black*
un nombre *number*
une note *grade, mark*
notre, nos *our*
nourrir *to feed*
la nourriture *food*
nouveau(-elle) *new*
les nouvelles (f pl) *news*
nuageux *cloudy*
nul(le) *very weak*

o

obtenir *to obtain*
une occasion *opportunity*
occupé(e) *busy*
une odeur *smell*
un œil (les yeux) *eye (eyes)*
un œuf *egg*
offrir *to give, offer*
un oignon *onion*
un oiseau *bird*
un oncle *uncle*
l'or (m) *gold*
un orage *storm*
un ordinateur *computer*
une oreille *ear*
oublier *to forget*
une ouverture *opening*

un **ouvrier** *manual worker*
ouvrir *to open*
où *where*

le **pain** *bread*
le **pain d'épice** *gingerbread*
paisible *peaceful*
un **pamplemousse** *grapefruit*
un **pantalon** *trousers*
une **papeterie** *stationer's*
un **paquet** *packet*
par *by, each, per*
un **parapluie** *umbrella*
parce que *because*
paresseux(-euse) *lazy*
parfois *sometimes*
un **parking (souterrain)** *(underground)*
  car park
parler *to speak, talk*
partager *to share*
un **participe passé** *past participle*
une **partie de** *a game of*
partir *to leave*
partout *everywhere*
pas mal de *quite a lot of*
un **passant** *passer-by*
passer *to spend (time)*
passer en contrebande *to smuggle*
se **passer** *to happen*
un **passe-temps** *hobby*
se **passionner pour** *to be very fond of*
une **patinoire** *ice-rink*
la **pause-déjeuner** *lunch-time*
pauvre *poor*
le **paysage** *landscape*
Pâques (m) *Easter*
les **pâtes** (f pl) *pasta*
une **pâtisserie** *cake shop*
la **peau** *skin*
un **péage** *toll*
la **pêche** *fishing*
une **pêche** *peach*
la **peine de mort** *death penalty*
un **peintre** *painter*
pendant *during*
pendant que *while*
pénible *tiresome*
penser *to think*
perdre *to lose*
perdu(e) *lost*
un **père** *father*
perfectionner *to improve*
une **permanence** *study period*
permis(e) *allowed*
un **permis de conduire** *driving licence*
un **personnage** *character*
peser *to weigh*

la **pétanque** *French bowls*
petit(e) *small, little*
un **petit ami, une petite amie**
  boyfriend, girlfriend
le **petit déjeuner** *breakfast*
un **pétrolier** *tanker*
peu (un peu) *few, not many (a bit)*
peut-être *perhaps*
une **pharmacie** *chemist's*
un **photographe** *photographer*
une **pièce** *room*
une **pièce de théâtre** *play*
un **pied** *foot*
un **piéton** *pedestrian*
piquer *to inject*
(encore) pire *(even) worse*
une **piscine** *swimming pool*
un **placard** *cupboard*
la **plage** *beach*
se **plaindre** *to complain*
plaire à *to please*
un **plaisir** *pleasure*
un **plan** *town map*
la **planche à voile** *wind surfing*
un **plat** *dish, course*
plein de *full of*
plein de personnes *lots of people*
pleuvoir (à verse) *to rain (heavily)*
un **plombier** *plumber*
la **pluie** *rain*
la **plupart de** *most of*
plus *more*
en **plus** *in addition*
le/la **plus** *the most*
plus tard *later*
plusieurs *several*
plutôt *rather*
une **poire** *pear*
un **poireau** *leek*
un **poisson** *fish*
la **poitrine** *chest*
le **poivre** *pepper*
une **pommade** *ointment, cream*
une **pomme** *apple*
une **pomme de terre** *potato*
les **pommes frites** *chips*
un **pommier** *apple tree*
un **pompier** *fireman*
un **pompiste** *petrol pump attendant*
un **pont** *bridge*
le **porc** *pork*
porter *to carry, wear*
poser sa candidature *to apply*
poser une question *to ask a question*
un **poste** *job*
une **poste** *post office*
le **potage** *soup*
un **poulet** *chicken*
pour *for*
pourquoi *why*

pourtant *however*
pousser *to grow*
pouvoir *to be able to*
pratiquer *to play (a sport)*
un **pré** *field, meadow*
premier(-ière) *first*
prendre *to take*
un **prénom** *first name*
près de *near*
se **présenter** *to introduce oneself*
presque *almost*
pressé(e) *in a hurry*
(au) printemps (m) *(in) spring*
se **priver de** *to deprive oneself of*
un **prix** *price, prize*
prochain(e) *next*
les **produits** (m) **surgelés** *frozen foods*
un **professeur** *teacher*
un **professeur d'orientation** *careers*
  teacher
un **professeur principal** *form teacher*
un **projet** *plan*
promener le chien *to walk the dog*
propre *clean, own*
un(e) **propriétaire** *owner*
puis *then*
puissant(e) *powerful*
puisque *since*
punir *to punish*
une **punition** *punishment*

un **quai** *platform*
quand *when*
quand même *nevertheless*
un **quartier** *district, area*
que *which*
quel(le) *which*
quelle barbe! *what a pain!*
quelque chose *something*
quelquefois *sometimes*
quelques *some*
quelqu'un *someone*
qui *who, whom, which*
qui plus est *what's more*
une **quincaillerie** *hardware shop*
une **quinzaine** *fortnight*
quitter *to leave*

raconter *to tell*
un **radis** *radish*
un **raisin** *grape*
une **raison** *reason*
une **randonnée** *walk, hike*
ranger *to tidy*
un **rapport** *relationship*

par rapport à *in relation to, compared with*
rayé(e) *striped*
un rayon *shelf, department*
réagir *to react*
récemment *recently*
recevoir *to receive*
se réchauffer *to heat up (oneself)*
un récit *account, story*
réclamer *to ask for, claim*
reconnaissant(e) *grateful*
une récréation *break*
un(e) rédacteur(-trice) *editor*
rédiger *to compose, write*
réduire *to reduce*
réduit(e) *reduced*
réfléchir *to reflect*
regarder *to watch, look at*
un régime *diet*
une règle *rule, ruler*
se remarier *to remarry*
remarquer *to notice*
rembourser *to reimburse*
remerciement (m) *thanks*
remercier *to thank*
se remettre en route *to set off again*
remonter dans le passé *to go back into the past*
remonter le moral de quelqu'un *to boost someone's spirits*
remplir *to fill in*
rencontrer *to meet*
rendre *to give back*
rendre visite à *to visit (someone)*
se rendre à *to get to, arrive at*
se rendre compte de *to realise*
un renseignement *piece of information*
renseigner *to inform*
rentrer *to return*
renverser *to knock over, down*
renvoyer *to send away, out, back*
un repas *meal*
repasser *to iron*
une réplique *reply*
répondre *to reply*
se reposer *to rest*
le R.E.R. *express railway (in Paris)*
résoudre *to solve, resolve*
rester *to stay*
résumer *to summarize*
se rétablir *to recover, get better*
un retard *delay, lateness*
en retard *late*
réussir à *to succeed in, manage to*
en revanche *on the other hand*
un rêve *dream*
un réveil *alarm clock*
le revers de la médaille *the other side of the coin*
une revue *magazine*

le rez-de-chaussée *ground floor*
un rideau *curtain*
rigoler *to joke, have a laugh*
une robe *dress*
le roi *king*
un roman (policier) *(detective) novel*
rond(e) *round*
rouge *red*
rouler *to go, drive, travel*
une route *road*
en route *on the way*
une route nationale *'A' road*
une rue *street, road*
une rue piétonne *pedestrianised street*
le russe *Russian*

un sac *bag*
saignant(e) *rare (meat)*
sain(e) *healthy*
un salaire *wage*
sale *dirty*
une salle à manger *dining room*
une salle d'attente *waiting room*
une salle d'expositions *exhibition hall*
une salle de bains *bathroom*
une salle de séjour *living room*
un salon *lounge*
salut! *hi!, cheers!*
samedi *Saturday*
le sang *blood*
sans *without*
sans doute *no doubt*
la santé *health*
satisfaisant(e) *satisfying*
le saucisson *(cooked, slicing) sausage*
sauver *to save*
savoir *to know*
le savon *soap*
(en) seconde (f) *(in) year 11*
le sel *salt*
selon moi *in my opinion*
une semaine *week*
sensible *sensitive*
se sentir *to feel*
serré(e) *tight*
serviable *helpful*
une serviette *towel/briefcase*
se servir de *to use*
seul(e) *only*
seulement *only*
la sécheresse *drought*
un séjour *stay*
une semaine *week*
sévère *strict*
un siècle *century*
signaler *to indicate*
le ski (de piste) *(downhill) skiing*

le ski nautique *water-skiing*
une sœur *sister*
la soie *silk*
soigner *to look after*
un soir *evening*
soit . . . soit *either . . . or*
un soldat *soldier*
les soldes *sales*
le soleil *sun*
une somme *sum*
en somme *to sum up*
son, sa, ses *his, hers, its*
un sondage *survey*
une sortie *exit*
sortir *to leave, go out*
une souci *worry*
une soucoupe *saucer*
soudain *suddenly*
souffrir *to suffer*
souhaiter *to wish*
souligner *to underline*
soupirer *to sigh*
sourire *to smile*
sous *under*
le soutien *support*
souvent *often*
le sparadrap *sticking plaster*
un spectacle *show*
un stade *stadium*
un stage en entreprise *work experience*
un stylo *pen*
sûr(e) *certain*
le sucre *sugar*
les sucreries (f pl) *sweet things*
suffire *to be enough*
suivant(e) *following*
suivre *to follow*
un supermarché *supermarket*
supplier *to beg*
supporter *to tolerate, put up with*
surtout *especially, above all*
surveiller *to supervise*
survivre *to survive*
sympathique *nice, friendly*
un syndicat d'initiative *tourist information office*

un tabac *tobacconist's*
le tabagisme *tobacco addiction*
une tâche *task, job, chore*
la taille *size, waist*
un tapis *carpet*
tapisser *to wallpaper*
le taux *rate*
tellement *so, really*
un témoin *witness*
le temps *time, weather*

une tendance *tendency*
un terrain *pitch, site*
la Terre *Earth*
la tête *head*
en tête *at the top*
le thé *tea*
le thon *tuna*
un timbre *stamp*
un tiroir *drawer*
tomber *to fall*
ton, ta, tes *your*
tondre le gazon *to mow the lawn*
toujours *always, still*
tousser *to cough*
tout, toute, tous, toutes *all*
tout à fait *totally*
tout de suite *immediately*
tout d'un coup *all of a sudden*
tout droit *straight on*
tout le monde *everyone*
tôt *early*
un(e) toxicomane *drug addict*
un trait *feature*
traiter *to treat*
un trajet *voyage, journey*
une tranche *slice*
le travail *work*
travailler *to work*
les travaux manuels *C.D.T.*
traverser *to cross*
un tremblement de terre *earthquake*
trempé(e) jusqu'aux os *soaked to the skin*
une trentaine *about thirty*
un trimestre *term*
triste *sad*

(en) troisième (f) *(in) year 10*
se tromper *to be mistaken*
trop *too, too much*
un trou *hole*
trouver *to find*
se trouver *to be situated*
tuer *to kill*
un tuyau d'échappement *exhaust pipe*

une usine *factory*
utile *useful*
utiliser *to use*

les vacances (f pl) *holidays*
une vache *cow*
vachement *very (slang)*
la valeur *value*
une valise *suitcase*
valoir *to be worth*
la veille *the day before*
un vélo *bicycle*
un(e) vendeur(-euse) *sales assistant*
vendre *to sell*
vendredi *Friday*
venir *to come*
venir de faire quelque chose *to have just done something*
le verglas *black ice*
vérifier *to check*
vers *at about, towards*

vert(e) *green*
un veston *jacket*
un vêtement *item of clothing*
la viande *meat*
une vie *life*
vieux, vieil, vieille *old*
un vignoble *vineyard*
une ville *town*
le vin *wine*
une vingtaine *about twenty*
violer *to rape*
vite *quick(ly)*
la vitesse *speed*
voici *here is/are*
la voile *sailing*
voir *to see*
un(e) voisin(e) *neighbour*
une voiture *car*
un volant *steering wheel*
voler *to steal, fly*
un voleur *thief*
la volonté *desire, will-power*
vomir *to vomit*
vouloir dire *to mean*
voyager *to travel*
un voyageur *traveller*
vrai(e) *true*
vraiment *really*

un yaourt *yoghurt*